POUR COMPRENDRE LE NATIONALISME AU QUÉBEC ET AILLEURS

Denis Monière

POUR COMPRENDRE LE NATIONALISME AU QUÉBEC ET AILLEURS

Les Presses de l'Université de Montréal

Données de catalogage avant publication (Canada)

Monière, Denis, 1947-
Pour comprendre le nationalisme au Québec et ailleurs
(Paramètres)
Comprend des réf. bibliogr.

ISBN 2-7606-1811-0

1. Nationalisme.
2. Nationalisme – Québec (Province).
3. Mouvements de libération nationale.
4. Droit des peuples à disposer d'eux-mêmes.
5. Mondialisation.
I. Titre. II. Collection.

JC311.M66 2001 320.54 C2001-941631-8

Dépôt légal : 4e trimestre 2001
Bibliothèque nationale du Québec

Les Presses de l'Université de Montréal remercient le ministère
du Patrimoine canadien du soutien qui leur est accordé dans le cadre
du Programme d'aide au développement de l'industrie de l'édition.
Les Presses de l'Université de Montréal remercient également le Conseil
des Arts du Canada et la Société de développement
des entreprises culturelles du Québec (SODEC).

IMPRIMÉ AU CANADA

INTRODUCTION

Pourquoi s'intéresser au nationalisme à l'ère de la mondialisation ?

Ceux qui soutiennent, au nom d'un rationalisme abstrait, que le nationalisme est dépassé, voué à disparaître devant la mondialisation des économies et des réseaux de communication, et devant l'uniformisation culturelle qu'elle entraîne, prennent leurs désirs pour des réalités*. Le processus de mondialisation est incontestablement en cours, mais au lieu de faire taire la revendication de la différence il l'a plutôt exacerbée puisque, durant la décennie qui vient de s'écouler, plus d'une vingtaine de nations sont devenues souveraines et, à l'aube du troisième millénaire, de plus nombreuses encore, du Québec à l'Écosse en passant par la Catalogne, le Kurdistan ou le Punjab, cherchent à leur tour à le devenir. Les revendications identitaires n'ont jamais eu autant de force et d'échos qu'à cette étape de l'histoire mondiale où l'on assiste à la convergence des modes de vie, comme si intégration et différenciation étaient les deux faces d'une même réalité. Alain Dieckhoff résume ainsi ce paradoxe : « [...] le nationalisme s'exprime avec

* C'est le cas d'Eric Hobsbawm, *Nations et nationalisme depuis 1780*, Paris, Gallimard, 1992.

une vigueur renouvelée au moment même où les hommes se ressemblent de plus en plus… La mondialisation constitue ainsi un facteur positif dans la stratégie d'affirmation nationaliste[1]. » Plus les échanges se développent, plus les individus et les groupes valorisent leur spécificité et cherchent à l'incarner dans des relations égalitaires.

Parmi les idéologies contemporaines, le nationalisme est celle qui aura eu le plus d'influence sur le cours de l'histoire mondiale aux XIXe et XXe siècles et celle qui a connu le destin le plus universel puisqu'on la retrouve dans toutes les sociétés[2]. Ainsi, l'État-nation est devenu le mode universel de constitution des communautés politiques modernes. Et même si ces États ont des régimes politiques différents, ils fondent tous leur légitimité sur la promotion d'une identité nationale.

Le nationalisme est aussi l'idéologie la plus polyvalente, d'abord parce qu'elle prend différentes formes et peut se manifester dans la religion, la culture, le sport et la politique, ensuite parce qu'elle peut se greffer ou s'associer à d'autres courants de pensée. On la retrouve aussi bien dans les sociétés démocratiques que dans les sociétés autoritaires. Enfin, c'est l'idéologie qui transcende le mieux les clivages socio-économiques, c'est-à-dire qu'elle a la capacité de mobiliser le soutien de toutes les classes de la société. Les ouvriers, les intellectuels et les patrons s'y réfèrent tous pour définir leur sentiment d'appartenance et leur loyauté politique.

Si le nationalisme est un phénomène riche et intéressant d'un point de vue sociologique, il y a aussi des raisons pratiques qui devraient inciter tout citoyen à s'intéresser au nationalisme.

Depuis la chute du communisme, on a assisté à la résurgence des nations. La fin de la guerre froide et l'émergence d'un monde multipolaire ont placé le nationalisme au centre de la politique internationale. Les questions nationales non résolues sont devenues les principales causes d'insécurité et de conflit, comme ce fut le cas dans l'ex-Yougoslavie. De même, le conflit israélo-palestinien procède lui aussi de la dynamique nationalitaire.

Mais s'il est vrai que le nationalisme est à l'origine de nombreux conflits, on ne peut lui attribuer toutes les guerres, ni le rendre responsable de toutes les atrocités. On a tué et on tue encore au nom d'autres motifs que la défense de la nation. On ne doit pas confondre les guerres impérialistes ou les guerres de religion avec les guerres de libération nationale. S'il y a eu de la violence au Timor oriental, la responsabilité n'en revient pas aux indépendantistes, mais bien aux forces indonésiennes qui refusaient d'accepter le verdict des urnes.

Le nationalisme est aussi un facteur déterminant de la vie politique de sociétés développées comme le Canada, la Belgique, l'Espagne, la Grande-Bretagne et la France. Il est indispensable de connaître la dynamique du nationalisme pour comprendre l'histoire politique canadienne où trois processus contradictoires se concurrencent : il y a la recherche d'émancipation nationale du Québec qui s'oppose au processus de *nation building* du Canada et l'affirmation politique des Autochtones qui met en cause les deux premiers processus. On peut dire que la question nationale est au cœur du débat politique canadien.

Le nationalisme est un phénomène persistant.

À chaque décennie, il y a des prophètes, essayistes, journalistes ou sociologues, qui proclament la fin du nationalisme. Or, cette mort annoncée est constamment contredite par le mort lui-même qui tel un phénix renaît de ses cendres. Comme c'est le cas de toutes les idéologies, il y a des variations d'intensité dans la capacité mobilisatrice du nationalisme et ce sont ces hauts et ces bas qui font illusion et laissent croire au déclin du nationalisme. Deux exemples historiques illustrent cette tendance.

Au début du XXe siècle, les leaders du mouvement socialiste prônaient le pacifisme. On croyait que la solidarité internationale des travailleurs serait plus forte que les solidarités nationales et arriverait à bloquer le déclenchement des conflits militaires. Or, en 1914, l'internationalisme prolétarien s'est révélé inopérant et n'a pas empêché les travailleurs allemands et français de prendre les armes et de se faire la guerre au nom de leur patrie respective.

Après l'expérience désastreuse du nazisme, on pensait dans les milieux éclairés que le nationalisme était définitivement enterré. On croyait qu'avec la création de l'ONU, ce serait la fin des conflits entre nations. Or, dix ans plus tard, le mouvement de décolonisation allait invalider cette thèse.

Deux exemples plus près de nous dans l'espace et dans le temps illustrent la persistance du nationalisme. Au Québec d'abord, au début des années 1980, un journaliste, Dominique Clift, s'est laissé prendre au jeu des apparences en écrivant un livre où il soutenait que le nationalisme québécois déclinait[3]. Il soutenait que cette idéologie, qui avait été au centre de la vie politique québécoise depuis la Révolution tranquille, était mise à mal par la montée des valeurs individualistes et par l'apparition d'une élite économique francophone. On respira certes mieux au Canada anglais, où on dénigre allègrement le nationalisme québécois qui contredit l'image d'harmonie que veut donner le nationalisme canadien. La loi 101, qui avait donné la sécurité linguistique au Québec, semblait avoir atténué l'intensité des revendications québécoises. Après l'échec du référendum, une nouvelle garde montante d'hommes d'affaires plus pragmatiques prenait le relais des hommes politiques empreints de morosité. On pouvait même croire à la possibilité d'une entente constitutionnelle entre le Québec et le Canada après la signature de l'accord du Lac Meech. Mais le chat qui dormait s'est réveillé avec le jugement de la Cour suprême invalidant en 1988 plusieurs articles de la loi 101, en particulier sur la langue d'affichage. Le Québec est subitement redevenu nationaliste. Manifestations, assemblées publiques, sondages, tous les indicateurs sonnaient l'alerte. Après l'échec de Meech, même le Parti libéral flirtait avec l'hypothèse de la souveraineté. Le nationalisme est revenu en force ; il a donné naissance au Bloc québécois et a porté le Parti québécois au pouvoir en 1994, ce qui a entraîné la tenue du référendum de 1995.

Autre phénomène semblable d'éclipse, prolongée cette fois, dans les pays d'Europe de l'Est. Après trois quarts de siècle d'une domination sans partage de l'idéologie socialiste et de l'internationalisme prolétarien, les nationalismes ostracisés ont persisté et réussi à renverser le régime communiste. Même la Russie retrouve les charmes de sa tradition religieuse. C'est un curieux retour du balancier en cette époque de mondialisation où les discours des élites dominantes vantent les avantages des grands ensembles, alors que les fédérations éclatent sous la pression des identités nationales retrouvées, comme ce fut le cas en Tchécoslovaquie, en Yougoslavie et peut-être même dans certains pays de l'Union européenne tels que la Belgique et la Grande-Bretagne, où beaucoup revendiquent l'indépendance de la Flandre et de l'Écosse. La construction de l'Europe entraîne des abandons de souveraineté de la part des États-nations traditionnels, mais elle fait naître en même temps dans les petites nations subjuguées l'espoir d'accéder à la souveraineté. C'est du moins le calcul que font les Basques, les Catalans, les

Lombards, les Corses et les Écossais, dont le slogan est « L'indépendance dans la communauté [européenne] ».

L'évolution récente du monde occidental aboutit au paradoxe suivant : plus le marché et la communication se mondialisent, plus le besoin d'identité s'affirme.

NOTES

1. Alain DIECKHOFF, *La nation dans tous ses états*, Paris, Flammarion, 2000, p. 26 et 37.
2. Voir Peter ALTER, *Nationalism*, Londres, A. Arnold, 1989, p. 4.
3. Dominique CLIFT, *Le déclin du nationalisme au Québec*, Montréal, Libre Expression, 1981.

1

DEUX TYPOLOGIES DU NATIONALISME

La variété de ses formes et le caractère polymorphe de son contenu font du nationalisme un phénomène complexe qui suscite la controverse en sciences sociales où existe une diversité d'interprétations. L'étude du nationalisme soulève aussi la controverse parce que cet objet d'analyse pose le problème de la légitimité politique des États et qu'il est souvent abordé avec des préjugés négatifs, de sorte que les différents modèles explicatifs produits par la philosophie, la sociologie et la science politique se sont tous avérés plus ou moins erronés en prédisant d'une décennie à l'autre la disparition de cette idéologie.

Pour illustrer la complexité du phénomène, nous présenterons brièvement deux typologies du nationalisme qui coexistent dans la littérature analytique : l'une, qu'on peut qualifier de classique, est construite sur des critères d'appartenance, l'autre distingue les nationalismes selon leurs objectifs.

La première typologie oppose habituellement deux types de nationalisme : le nationalisme ethnique et le nationalisme civique.

Le **nationalisme ethnique** est souvent rattaché dans la littérature à la conception allemande de la nation, c'est-à-dire que la définition du groupe national est fondée sur le lien du sang ou sur l'ascendance familiale. On postule un lien organique qui suppose une origine commune. Ainsi, sont membres de la nation seulement ceux qui ont la même origine ethnique et qui en possèdent les attributs : soit une langue et une culture communes. Habituellement, cette filiation ethnique est établie par le lien maternel. Dès lors, l'acquisition de la nationalité ne peut être volontaire. On qualifie d'exclusive cette définition de la nation, car ceux qui n'appartiennent pas par naissance au groupe ethnique ne peuvent faire partie de la nation. Le cas concret qui se rapproche le plus de ce type de nationalisme est le nationalisme allemand : il est à peu près impossible à un travailleur étranger et à ses enfants nés en Allemagne de devenir allemands*. Par contre, toutes les personnes qui pour des raisons historiques ne vivent pas sur le territoire allemand et qui ont une mère allemande peuvent réclamer le statut de citoyen allemand, à la condition d'abandonner leur citoyenneté d'origine. C'est le cas des citoyens russes ou polonais d'origine allemande qui se sont établis en Allemagne après la chute du communisme.

Cette définition ethnique de la nation est aussi celle utilisée par les peuples autochtones du Canada qui ont adopté une définition « native » du nationalisme. Gerald Alfred caractérise le nationalisme des Mohawks comme étant un ethno-nationalisme[1]. Cette définition implique que, sur les territoires gérés par les autochtones, les non-autochtones n'ont pas les mêmes droits politiques que les autochtones. On tente de justifier cette exclusion par la nécessité d'assurer la cohésion et la survie des peuples autochtones qui sinon, dans bien des cas seraient, numériquement noyés par les Blancs.

Le **nationalisme civique**, ou politique, rejette l'origine ethnique comme critère d'appartenance à la nation. Est membre de la nation celui qui naît sur le territoire national et qui s'identifie aux normes, aux valeurs et aux institutions qui régissent le fonctionnement de la société. C'est la citoyenneté qui définit qui est membre de la nation. On peut décider de devenir membre d'une nation, à la condition de répondre à certaines exigences plus ou moins contraignantes selon les pays. On impose habituellement un critère de durée de résidence (3 ans au Canada et de 5 à 10 ans ailleurs) et on

* L'Allemagne a assoupli légèrement, en 1999, ses règles d'accès à la nationalité.

demande une connaissance minimale de la langue et parfois de l'histoire nationale. On qualifie cette conception de conception française de la nation.

Une deuxième typologie classe les nationalismes selon les objectifs poursuivis par les mouvements politiques qui s'en réclament. Les différentes formes de nationalisme peuvent être regroupées sous quatre catégories.

Le **nationalisme de domination** est fondé sur l'affirmation de la supériorité d'un groupe qui est mobilisé pour la conquête d'autres groupes et territoires. Ce nationalisme présente le groupe national comme doté de caractéristiques biologiques ou culturelles qui fondent sa supériorité sur les autres. Cette supériorité, d'origine divine ou naturelle, justifie ses prétentions hégémoniques. La forme la plus extrême de ce nationalisme aboutit à l'idéologie totalitaire, historiquement associée au nazisme et au fascisme.

On peut aussi classer dans cette catégorie d'autres phénomènes comme l'impérialisme et le colonialisme, ces idéologies justifiant la domination d'un peuple sur les autres par sa supériorité technique, économique ou culturelle. On prétend alors dominer les autres peuples pour leur propre bien-être, afin de leur apporter les bienfaits de la civilisation et de la culture. C'est la thèse de la mission civilisatrice qui a animé la politique colonialiste des puissances européennes. Aujourd'hui, les puissances occidentales justifient leurs interventions dans les affaires des autres pays en invoquant le progrès et la démocratie.

Le **nationalisme de libération** s'appuie sur le principe libéral de l'égalité politique. Au nom de cette égalité, cette idéologie rejette la domination des puissances étrangères et lutte pour l'indépendance nationale et la création d'un État-nation, ou sa restauration dans le cas d'une défaite militaire. Ce type de nationalisme s'est manifesté principalement dans le mouvement de décolonisation qui a suivi la Deuxième Guerre mondiale. Une variante de ce type de nationalisme est le nationalisme d'unification qu'on retrouve avec le nationalisme allemand de Bismarck et le Risorgimento italien au XIXe siècle. Le nationalisme de libération implique donc la mise en cause des structures politiques établies, soit par la sécession, soit par l'unification des diverses portions du territoire national soumises à plusieurs souverains.

Le **nationalisme de conservation**, ou officiel, désigne l'idéologie dominante dans les États-nations déjà constitués. Il prend la forme du patriotisme et s'exprime par la loyauté aux institutions. Il se manifeste par la célébration des symboles nationaux, comme le drapeau, l'hymne national, la fête nationale, ou encore par la glorification des exploits des enfants du pays dans les compétitions sportives. Son but est de reproduire dans le temps l'identité nationale et la cohésion collective.

Le **nationalisme de revendication** désigne les mouvements politiques formés par des groupes ethniques minoritaires qui luttent contre la discrimination ou pour la reconnaissance de droits particuliers sans remettre en cause leur appartenance à un État supranational ou multiethnique. C'est le cas du nationalisme canadien-français.

Ces deux typologies définissent des « types idéaux » et ne correspondent pas exactement à tous les cas possibles de nationalisme car, dans les situations historiques concrètes, on peut retrouver dans une même société des combinaisons, des amalgames entre deux ou trois types de nationalisme, ce qui est le cas au Québec où se chevauchent et se combattent un nationalisme de libération, un nationalisme de conservation et un nationalisme de revendication. Chacun de ces types de nationalisme se distingue par la référence à une identité particulière : québécoise pour le premier, canadienne pour le second et canadienne-française pour le troisième.

Nous nous proposons dans cette revue des théories de la nation et de la sécession de mettre en évidence les connaissances philosophiques, sociologiques et historiques nécessaires à la compréhension du nationalisme québécois et des revendications nationalitaires qui s'expriment dans les sociétés développées.

NOTES

1. Gerald R. ALFRED, *Heeding the Voices of Our Ancestors*, Toronto, Oxford University Press, 1995, p. 178.

2

LES THÉORIES DE LA NATION

Un sapin des Laurentides est aussi universel
qu'un cyprès de la côte méditerranéenne.

GASTON MIRON

Dissocier comme nous allons le faire la conception ethnique de la conception civique de la nation tient plus de la nécessité didactique que de la fidélité au processus historique. Dans l'univers des idées, les courants de pensées s'entremêlent et s'appuient les uns sur les autres. Il y a donc une relation dialectique entre la définition allemande et la définition française de la nation. Ce qu'on appelle la théorie allemande a été développé à la fin du XVIIIe siècle en opposition à l'universalisme abstrait propagé par les rationalistes français et la philosophie des Lumières, dont la conséquence politique fut l'invasion des États allemands par les armées de Napoléon. Par la suite, à la fin du XIXe siècle, la conception élective de la nation sera théorisée comme réponse philosophique à la conquête de l'Alsace et de la Lorraine par les armées prussiennes. Mais avant d'aborder cette dialectique, voyons comment l'idée de nation s'est mariée à la pensée libérale.

Bref historique de l'idée de nation

Étymologiquement, le mot nation signifie « naissance ». Avant la fin du XVIIIe siècle, il n'a pas de signification politique. Au XIIIe siècle, son emploi désignait « une réunion d'hommes habitant un même territoire[1] », celui-ci étant plus ou moins circonscrit. Il apparut dans le discours religieux au concile de Constance (1414-1418), où il signifiait un « groupe qui dispose d'une voix », et la nation allemande groupait tous les délégués de l'Europe orientale de même que la nation anglaise englobait les Scandinaves[2]. En France, il fut employé par les étudiants de la Sorbonne pour désigner leur lieu de provenance : il y avait les nations de Picardie, de Normandie et de Germanie[3]. S'il avait alors une connotation communautaire, le mot nation ne faisait pas partie du vocabulaire politique et il était dissocié de la conception de l'État. Cette démarcation est clairement posée par le ministre français Turgot : « Un État est un assemblage d'hommes réunis sous un seul gouvernement, une nation est un assemblage d'hommes qui parlent une même langue maternelle[4]. »

La nation émergera comme concept politique dans le sillage de la philosophie rationaliste et cette idée deviendra un sous-produit du libéralisme. La nation fut d'abord un concept révolutionnaire. En contestant l'origine divine du pouvoir et en fondant la légitimité de l'autorité politique sur le principe de la souveraineté du peuple, on liait l'exercice du pouvoir au consentement des sujets individuels. La théorie du **contrat social** élaborée par Locke et ensuite par Rousseau viendra expliquer comment des individus libres et égaux par nature se lient entre eux pour former une puissance politique qui garantit à tous les membres de la communauté la jouissance de leurs biens et l'exercice de leurs droits, dont entre autres le droit de propriété. Cette théorie renverse le fondement de la légitimité du pouvoir souverain, en le ramenant du ciel sur la terre. L'autorité politique n'est plus pensée comme une délégation du pouvoir divin, mais comme une délégation du pouvoir du peuple. C'est le peuple ou l'ensemble des associés qui possède la souveraineté. Souveraineté et démocratie sont dès lors intimement liées : c'est dans la communauté nationale que le peuple peut consentir à se laisser gouverner tout en conservant sa liberté. C'est parce qu'elle procède de l'identité nationale que la volonté générale peut réconcilier les intérêts individuels et collectifs.

Emmer de Vatel, s'inspirant de la doctrine du droit naturel, systématisa les droits du peuple dans un traité intitulé *Le droit des gens*, publié en 1758 et destiné à « éclairer les nations sur leurs intérêts les plus essentiels[5] ». Par analogie, il transpose à la collectivité les principes de liberté et d'indépendance qui s'appliquent à l'individu dans l'état de nature et il soutient que l'ordre entre les nations suppose que celles-ci soient laissées « dans la paisible jouissance de cette liberté », que les États se gardent de s'ingérer dans les affaires des autres États. Cette transposition de la logique libérale de l'individuel au collectif ne s'applique pas seulement au concept de liberté mais aussi à celui d'égalité. Il affirme que les nations sont égales entre elles tout comme les individus sont égaux entre eux : « La puissance ou la faiblesse ne produit à cet égard aucune différence. Un nain est aussi bien un homme qu'un géant. Une petite république n'est pas moins un État souverain que le plus puissant royaume[6]. »

Dès lors, les peuples ont les mêmes droits et les mêmes obligations.

Le mouvement des idées libérales et la nouvelle philosophie des droits de l'homme qui en émerge trouveront leur incarnation dans la Révolution française. L'article 3 de la Déclaration des droits de l'homme et du citoyen de 1789 fonde la souveraineté dans la nation : « Le principe de toute souveraineté réside essentiellement dans la Nation. Nul corps, nul individu ne peut exercer d'autorité qui n'en émane expressément. »

Selon Alain Renaut, l'idée de nation prend avec la Révolution française la forme d'un construit et non d'un donné naturel. C'est une communauté politique bâtie, non sur la base d'un lien naturel, mais sur celle d'un lien contractuel découlant de la liberté individuelle[7]. Sieyès, dans *Qu'est-ce que le Tiers-État ?*, a proposé de définir la nation comme « un corps d'associés vivant sous une loi commune et représenté par la même législature[8] ». Il y a ainsi assimilation entre la nation et la **communauté démocratique**, constituée par l'adhésion volontaire au principe du gouvernement représentatif.

Cette définition permettait de dépasser le système héréditaire de distribution du pouvoir. Il n'y avait plus ni ordre, ni caste, ni rang, pour justifier un droit particulier, un privilège dans la société. La nation était composée d'individus sans particularités reconnues, égaux devant la loi. La nation, au sens révolutionnaire, déracinait les individus en abolissant les distinctions fondées sur la naissance. Tout individu habitant un territoire pouvait être inclus dans la collectivité nationale. Le droit du sang, de la naissance, était supplanté par le droit du sol[9].

Le peuple est souverain selon deux logiques concomitantes. Il a la capacité de déterminer comment il sera gouverné, sous quel régime politique et par qui. Le peuple est souverain parce qu'il est la source de l'autorité politique : il peut ainsi récuser la légitimité d'un pouvoir qui ne dépend pas de sa volonté, qui lui est extérieur et s'impose à lui par la force. L'exercice du pouvoir politique par une puissance extérieure entre en contradiction avec l'autorité du peuple, qui est alors justifié de résister et de lutter contre la domination.

Ainsi la philosophie libérale débouche-t-elle sur le nationalisme à travers la théorie de la souveraineté qui servira de fondement à l'élaboration du principe des nationalités au XIXe siècle et au droit des peuples à disposer d'eux-mêmes au XXe siècle.

La conception allemande de la nation

À cette conception volontariste de la nation, fondée sur l'idée d'un contrat et d'une libre association des individus, les Allemands opposeront celle d'une totalité englobante, où l'appartenance n'est pas fondée sur l'adhésion volontaire, mais sur le **lien naturel** établi par la filiation. C'est la naissance qui détermine l'appartenance nationale, de sorte que son acquisition ne peut être volontaire : la nationalité est innée et suppose l'existence de prérequis culturels et linguistiques. La langue apparaît comme un des critères de l'identité nationale. Deux philosophes allemands inaugurent cette autre façon de penser la nation : Johann Gottfried Herder et Johann Gottlieb Fichte.

Herder

L'œuvre de Herder s'inscrit dans le courant du *Sturm und Drang* (tempête et assaut) du premier romantisme allemand, dont les plus illustres représentants furent Goethe et Schiller. Herder a publié deux ouvrages importants qui traitent de la nation, *Traité de l'origine du langage*, paru en 1772, et *Histoire et culture : une autre philosophie de l'histoire*, paru en 1774.

Ce dernier livre est un essai polémique où il attaque les thèses soutenues par Voltaire dans « Une philosophie de l'histoire », qui sert d'introduction à son *Essai sur les mœurs et l'esprit des nations*. Cette discussion philosophique montre donc que l'histoire de la philosophie n'est pas à l'abri des rivalités nationales. Herder s'attaque aux principes de la philosophie des Lumières. Il veut montrer qu'il n'y a pas une seule interprétation de l'histoire et que celle des philosophes français n'est pas universelle et ne devrait pas être admise comme telle.

Il conteste le point de vue rationaliste qui postule un progrès inéluctable dans l'histoire et qui prévoit que le développement des sociétés ira vers le mieux ou de l'imperfection vers la perfection. Il est en quelque sorte un précurseur du postmodernisme en affirmant que le présent et l'avenir ne valent pas mieux que le passé. L'enjeu de ce débat est l'évaluation des sociétés antérieures. Les rationalistes prétendaient qu'avec l'avènement des Lumières l'humanité était sortie des ténèbres du Moyen Âge et que le bonheur était désormais accessible, à la condition qu'on rejette les traditions et les modes de pensée hérités des époques antérieures. Dans leur stratégie hégémonique, les philosophes rationalistes tentaient de jeter le discrédit sur leurs prédécesseurs.

Herder pense que ce rationalisme n'a pas de validité transhistorique et transculturelle, que les Français universalisent leur propre réalité et que cette philosophie de l'histoire dissimule une forme d'impérialisme culturel de la France qui veut imposer au monde sa culture et sa langue (le français à l'époque dominait l'Europe des cours). À ses yeux, il s'agit d'une conception particulière de l'histoire et du progrès qu'on ne peut généraliser aux autres peuples.

Son projet philosophique consiste à revaloriser le Moyen Âge. Dans cette entreprise, il soutient trois thèses :

1. À travers les siècles, il n'y a pas de rupture ou de changements qualitatifs. Il y a des constantes qui se retrouvent à toutes les époques.
2. Il n'y a pas d'époque qui soit meilleure que les autres. Les époques passées et à venir sont d'égale valeur. Le corollaire de cette thèse est qu'il faut maintenir les traditions et les coutumes locales, et non pas les rejeter comme désuètes. La tradition est à son avis le meilleur de ce que l'expérience humaine a accumulé parce qu'elle a survécu aux aléas du temps.
3. Contrairement aux rationalistes qui fondent l'organisation sociale sur l'individu abstrait, identique dans toutes les cultures, Herder affirme l'existence d'individualités culturelles collectives. L'Humanité n'est pas un ensemble d'individus indifférenciés, c'est au contraire l'ensemble des peuples différenciés par leur culture spécifique.

L'être humain n'est pas conçu par Herder comme un être dépouillé de ses particularités. Il est au contraire déterminé par son appartenance à une communauté culturelle particulière, la langue étant le principal facteur de différenciation. Il y a pour lui un lien indissoluble entre la langue et la culture et celles-ci sont transmises par la relation mère-enfant : « Avec le langage est communiqué à l'enfant toute l'âme de ses procréateurs, tout leur mode de pensée… Le nourrisson qui balbutie les premières paroles, balbutie les sentiments de ses parents[10]. »

À l'homme universel, sans racines, sans particularités, il oppose l'homme déterminé par la culture particulière de son origine et de son milieu. Il définit, bien avant Marx, l'homme comme un être social, conditionné par les autres.

Il considère que la philosophie rationaliste est fausse, parce qu'elle confond ce qui est différent. Elle impose une norme identique à toutes les sociétés. Il met en cause le principe d'universalité parce qu'il contient un projet dominateur. Il cherche au contraire à revaloriser la diversité des cultures et à rendre à chaque nation sa fierté. Il pose l'appartenance à une **société concrète** comme une condition nécessaire de l'accès à l'universalité. « Chez Herder, toutes les cultures sont posées comme égales en droit. Les cultures sont vues comme autant d'individus égaux malgré leurs différences, les cultures sont des individus collectifs[11]. » C'est la nature qui crée les nations et le propre de la nature, c'est la diversité. Il ne donne toutefois pas de signification politique au principe de la diversité culturelle.

Fichte

Fichte était professeur de philosophie à l'Université de Berlin. Il écrit ses *Discours à la nation allemande* après la défaite d'Iéna alors que les troupes françaises occupent Berlin. Ainsi, ce que Herder avait imaginé prenait une forme concrète ; l'universalité de la philosophie française servait de caution à une entreprise de conquête militaire. L'écriture des *Discours* sera soumise aux effets de cette conquête, puisque pour déjouer la censure Fichte devra déguiser sa pensée en lui donnant la forme d'une réflexion pédagogique.

Mais Fichte n'est pas le continuateur de Herder, il s'en démarque sur plusieurs points. D'abord, il admire les philosophes français et reprend à son compte leur postulat voulant que la liberté soit l'essence de l'homme. Il prend parti pour la Révolution française. À la différence de Herder qui soutenait les particularismes locaux, Fichte accepte le principe d'universalité, mais il refuse aux Français de pouvoir seuls l'incarner. C'est la nation allemande qui pourra réaliser le triomphe de l'universel. Il faut ici souligner que Fichte s'adresse à la nation allemande, ce qui était en soi un défi lancé aux partisans des particularismes, qui justifiaient le maintien d'une multitude d'États allemands. À cet égard, Fichte peut être considéré comme le précurseur du pangermanisme :

> Je parle pour les Allemands, rien que pour les Allemands, et je leur parle d'Allemands, rien que d'Allemands, en méconnaissant, en laissant de côté, en rejetant toutes les distinctions brûlantes que de malheureux événements ont créées depuis des siècles dans une seule et même nation[12].

Il ne suit pas non plus Herder sur le chemin de l'égalité des cultures. Il cherche à montrer que la nation allemande est supérieure aux autres parce qu'elle est la plus pure, la plus primitive, c'est-à-dire la plus près de ses origines, et qu'elle s'incarne dans le peuple. Il oppose cette pureté culturelle à la culture française qui, à ses yeux, est élitiste, c'est-à-dire fondée sur un clivage culturel entre le peuple et les élites. Il comparera les structures des langues française et allemande pour démontrer la supériorité de la langue allemande.

Dans les 4e et 5e Discours, Fichte décrète le déclin du génie français. Il l'explique par la nature dérivée de la langue française. Il estime que du point de vue ethnographique, les Français sont des Germains. Il les appelle d'ailleurs « nos compatriotes émigrés ». Mais ce sont des Germains qui ont mal tourné parce que leur langue originelle a été corrompue par le latin. Le français n'est pas une langue pure, c'est une langue dérivée, c'est du latin déformé, tout comme l'anglais qui est aussi une langue métissée. Il explique par cette nature dérivée de la langue les traits particuliers de la culture française qui est superficielle et frivole, axée sur le divertissement et la recherche des belles formes, de la préciosité. Il soutient qu'en France il y a un divorce entre la culture et la vie pratique, entre les classes aisées et les milieux populaires, alors qu'en Allemagne la culture émane du peuple et qu'elle s'inspire des traditions populaires. Mais Fichte présente « ces défauts de caractères » comme des effets de la nature dérivée de la langue et non pas comme des traits relevant de la race, puisque les Allemands et les Français ont la même origine ethnique.

Pour lui comme pour Herder, le caractère, le tempérament de chaque peuple est donné une fois pour toutes, il n'est pas sujet à changement et cet état psychologique, cette âme collective s'explique par la nature de la langue. Seules les langues « primitives » peuvent engendrer une culture authentique et une aptitude à la réflexion philosophique. C'est le cas du latin et de l'allemand.

Seuls les Allemands peuvent prétendre à l'universalité, parce qu'ils sont restés fidèles à leurs origines et qu'ils peuvent réconcilier patriotisme et cosmopolitisme. Ils n'ont pas été corrompus par les influences extérieures et n'ont pas imité l'étranger.

L'importance accordée à la **langue** comme facteur de cohésion nationale s'explique chez Fichte par l'absence même d'État national. C'était la langue allemande qui unissait le peuple allemand au-delà des découpages territoriaux et du fractionnement des souverainetés.

Dans le 8e Discours, Fichte développe une explication psychologique de l'attachement à la nation. Il attribue à la conscience de la finitude individuelle l'attachement à la communauté nationale parce que la nation permet à l'individu de durer au-delà de la mort, elle assure la pérennité du moi.

> « La croyance de l'homme noble à la durée éternelle de son œuvre sur cette terre repose donc sur l'espoir de la durée éternelle du peuple dont il est issu lui-même… Sa foi et son aspiration à créer l'impérissable, sa manière de concevoir sa vie personnelle comme une vie éternelle, tel est le lien qui rattache chacun de nous à sa propre nation d'abord et par son intermédiaire à tout le genre humain[13]. »

La patrie et le peuple sont les représentants et les garants de l'éternité sur terre parce qu'ils transcendent la vie individuelle tout en la représentant, en la conservant sur le plan symbolique dans l'identité nationale qui suppose la reproduction dans le temps des caractéristiques culturelles de la collectivité.

On pourrait résumer ainsi les caractéristiques de la nation selon Fichte :

1. La nation est un phénomène naturel.
2. Une nation est fondée sur l'usage d'une langue commune.
3. La nation allemande est la nation par excellence parce qu'elle s'appuie sur une langue primitive qui n'a pas été altérée par des apports extérieurs, cette authenticité de la langue favorisant la créativité et la puissance d'innovation d'un peuple.
4. La langue est le facteur de la cohésion nationale.
5. L'éducation est la forteresse de la nation car elle transmet la langue et les valeurs culturelles et éveille le patriotisme.
6. L'unité linguistique doit mener à l'unité politique et à l'indépendance de la nation : « Il n'y a pour moi aucun doute. Lorsqu'une langue séparée se forme, il y a une nation séparée qui existe, qui a le droit d'être indépendante et de se gouverner elle-même[14]. »

Fichte est ainsi le précurseur de la formation de l'État national allemand.

La conception civique de la nation : Renan

À la suite de la conquête de l'Alsace et de la Lorraine par les armées allemandes en 1870, au nom de l'unité culturelle et linguistique, Ernest Renan amorcera une réflexion sur le sens de la nation et proposera une théorie de la nation civique. Cette annexion forcée de provinces qui étaient juridiquement françaises, mais où vivaient des citoyens qui parlaient une langue germanique, l'obligera à remettre en cause sa perception de l'Allemagne, car jusqu'à la guerre de 1870 il avait été partisan d'une alliance franco-allemande. « J'avais, écrit-il, fait le but de ma vie de travailler à l'union intellectuelle, morale et politique de l'Allemagne et de la France. » Les événements l'obligeront à changer de point de vue et à s'attaquer à la conception ethnique de la nation qui avait inspiré l'offensive militaire de Bismarck. Il systématisera ses réflexions dans une conférence prononcée à la Sorbonne, le 11 mars 1882, qui s'intitulait « Qu'est ce qu'une nation ? ».

Renan cherche à définir des critères fiables et universels légitimant l'existence des frontières entre les nations. Sa problématique est la suivante : comment distinguer entre un groupement humain qui constitue une nation et un autre qui n'en est pas une ? Il passe alors en revue une série de principes qui peuvent être évoqués pour justifier les distinctions nationales : l'origine ethnique, la géographie, la langue, la religion, la communauté d'intérêts.

La nation peut-elle se constituer sur une base raciale ?

Dans une lettre à son collègue allemand Strauss, Renan dissociait nettement sa conception civique, ou politique, de la nation de la **conception raciale** de la nation :

> Notre politique, c'est la politique du droit des nations, la vôtre, c'est la politique des races ; nous croyons que la nôtre vaut mieux. La division trop accusée de l'humanité en races, outre le fait qu'elle repose sur une erreur scientifique, très peu de pays possédant une race vraiment pure, ne peut mener qu'à des guerres d'extermination [...] analogues à celles que les diverses espèces de rongeurs ou de carnassiers se livrent pour la vie[15].

Cette analyse allait s'avérer prémonitoire des deux guerres mondiales.

Il tente de montrer par une série d'exemples qu'il ne peut y avoir de nation qui soit pure sur le plan ethnique. Il avance comme premier argument que les nations n'ont pas toujours existé, qu'elles sont une nouvelle forme de regroupement des individus qui a été précédée par d'autres types de communautés, comme les tribus, les cités, les empires. Les groupements humains sont le fruit de l'histoire et ne dépendent pas de caractères morphologiques. Il y a eu dans le passé, à la suite de vagues successives de conquêtes et d'invasions, mélange de populations : ceux qui envahissent un territoire sont en principe moins nombreux que ceux qui y résident et ils ont tendance avec le temps à s'intégrer à la population conquise, principalement en raison du manque de femmes. Ainsi, la France n'est pas le pays de l'ethnie des Francs, car ceux-ci furent très peu nombreux à s'y établir et ceux qui le firent ne se distinguaient guère de la population locale au bout de deux ou trois générations. Renan montre que les frontières de l'Europe au Moyen Âge n'avaient rien d'ethnographique et qu'elles résultaient des guerres et des invasions. Les peuples sont formés de gens de diverses origines :

> La France est celtique, ibérique, germanique. L'Allemagne est germanique, celtique et slave. L'Italie est le pays où l'ethnographie est la plus embarrassée. Gaulois, Étrusques, Pélasges, Grecs, sans parler de bien d'autres éléments, s'y croisent dans un indéchiffrable mélange[16].

L'idée allemande qui fonde la nation sur un groupe primitif est une chimère, elle n'est pas conforme à la réalité historique. Le critère de l'origine commune ne peut donc pas servir à délimiter les nations en Europe : « La race [...] n'a pas d'application en politique [...] les premières nations de l'Europe sont des nations de sang essentiellement mélangé[17]. »

Est-ce que les frontières politiques doivent coïncider avec les frontières linguistiques ? Renan reconnaît que la langue commune est un facteur d'unité et que parler la même langue renforce le sentiment d'appartenance, mais ce n'est pas une nécessité absolue. Il cherche ici à réfuter l'argument principal des Allemands qui justifiaient leurs prétentions sur l'Alsace et la Lorraine par le fait que les habitants de ces provinces parlaient des patois germaniques. Il ne s'étend pas très longuement sur le **facteur linguistique**. Il raisonne *a contrario*, c'est-à-dire que, au lieu de montrer que ce critère ne correspond pas à la réalité de l'Alsace-Lorraine, il rappelle d'une part qu'il y a des États multilingues, comme la Suisse, et d'autre part qu'il y a des pays séparés où l'on parle la même langue, comme c'est le cas pour les États-Unis et l'Angleterre, ou encore les différents pays de l'Amérique latine. Encore là, c'est le principe de la diversité des nations qui alimente son argumentation, de sorte que si la langue peut être un critère distinctif d'une nation, l'homogénéité linguistique n'est pas une condition nécessaire de la formation de la nation. Il a toutefois de la difficulté à valider son principe de diversité dans le cas de la France et de l'Allemagne où il est forcé de reconnaître qu'il y a homogénéité linguistique. Il soutient que celle-ci résulte d'un processus historique et que la Prusse n'a pas toujours parlé allemand puisque le prussien, une langue slave disparue, était jadis parlé sur ce territoire. Mettant lui-même en pratique le principe de l'oubli, il prétend que la France n'a jamais cherché à obtenir l'unité linguistique par la coercition : « Un fait honorable pour la France, c'est qu'elle n'a jamais cherché à obtenir l'unité de la langue par des mesures de coercition[18]. » On peut douter que cette thèse reçoive l'assentiment des Bretons, des Basques et des Corses. Il veut surtout montrer que les Alsaciens peuvent être français même s'ils parlent une autre langue :

> N'abandonnons pas ce principe fondamental que l'homme est un être raisonnable et moral avant d'être parqué dans telle ou telle langue, avant d'être un membre de telle ou telle race, un adhérent de telle ou telle culture. Avant la culture française, avant la culture allemande, il y a la culture humaine[19].

Autrement dit, l'universel prime sur le particulier.

La **religion** peut-elle servir de base à la constitution des nations ?

Renan rejette aussi ce critère même s'il reconnaît que cette relation entre nation et religion a eu des fondements historiques à Athènes et à Sparte. Conformément à l'esprit républicain, il soutient que dans les sociétés modernes la religion est du domaine privé, elle relève de la croyance personnelle. Le principe de la liberté de conscience interdit donc à l'État d'imposer la même religion à tous ses citoyens. Cette logique républicaine n'est toutefois pas universelle, car il y a de nombreux États qui ont adopté une religion officielle, comme c'est le cas de certains pays musulmans.

La théorie des **frontières naturelles** a joué un rôle important dans la délimitation des nations parce que ces frontières ont facilité la défense du territoire et inspiré les stratégies militaires. Mais il faut reconnaître que les limites d'une nation ne peuvent être dictées par des accidents topographiques. Les chaînes de montagne ne sauraient découper les États. « Non, ce n'est pas la terre plus que la race qui fait une nation[20]. » Le cours des fleuves, le relief des montagnes ne sont pas des critères pertinents pour définir une nation car il y a des nations qui sont traversées par des frontières naturelles et qui demeurent unies, d'autres qui existent sans frontières naturelles, comme la Belgique ou la Hollande, et il y a quelques cas, plus rares, de nations qui regroupent des territoires non contigus, comme c'est le cas pour les États-Unis.

Renan pense aussi que la communauté d'intérêts n'est pas non plus un critère suffisant pour faire une nation. L'intérêt peut lier les hommes entre eux, mais par définition les intérêts sont changeants et diversifiés, alors que la nation doit être durable.

« Une nation est un principe spirituel, résultant des complications profondes de l'histoire, une famille spirituelle, non un groupe déterminé par la configuration du sol[21]. »

Tous les critères discutés précédemment sont insuffisants pour justifier l'existence d'une nation. Ce sont des conditions non essentielles. Ce qui constitue la nation, c'est le désir de vivre ensemble, le **vouloir-vivre collectif**, et celui-ci s'appuie sur le passé vécu en commun et sur le présent. Les deux ingrédients essentiels de la nation sont le partage de souvenirs communs et la volonté de continuer à faire valoir l'héritage qu'on a reçu : « La nation

[...] est l'aboutissant d'un long passé d'efforts, de sacrifices et de dévouement. [...] avoir fait de grandes choses ensemble, vouloir en faire encore, voilà les conditions essentielles pour être un peuple[22]. »

Renan pense que les épreuves vécues par une collectivité et les sacrifices consentis pour assurer la survivance du groupe sont des ferments indispensables de l'identité nationale parce qu'ils renforcent le sentiment de solidarité :

> Une nation est donc une grande solidarité, constituée par le sentiment des sacrifices qu'on a faits et de ceux qu'on est disposé à faire encore. Elle suppose un passé ; elle se résume pourtant dans le présent par un fait tangible : le consentement, le désir clairement exprimé de continuer la vie commune. L'existence d'une nation est (pardonnez-moi cette métaphore) un plébiscite de tous les jours, comme l'existence de l'individu est une affirmation perpétuelle de vie[23].

Cette définition pose le principe du consentement, de l'adhésion volontaire comme fondement de la nation. L'appartenance nationale est affaire de volonté individuelle et se manifeste quotidiennement par notre participation à la vie collective. À titre de citoyens, nous acceptons implicitement d'être membres de la nation. Mais Renan est bien conscient que sa métaphore du plébiscite de tous les jours ne peut être systématique : « Aucun principe, dit-il, ne doit être poussé à l'excès. » Le contrat d'association qui lie les individus en nation ne peut être remis en cause à tout moment. Renan pense toutefois qu'on devrait avoir recours à l'idée de consentement par le plébiscite lorsqu'il y a des conflits ou des contestations de frontières entre deux États qui se disputent un territoire ou l'allégeance de ses habitants. Il préfère l'usage des référendums à l'usage de la force pour déterminer l'appartenance nationale des populations.

Renan plaide pour la reconnaissance de la diversité d'origine des nations. Il veut montrer qu'il n'y a pas une seule cause à la formation des nations, que chaque nation est créée par une dynamique particulière. Il illustre cette thèse par l'exemple de la France qui a été constituée par l'action centralisatrice de la dynastie des Capétiens, alors que la Hollande, la Suisse et la Belgique ont été créées par la volonté directe des provinces. Mais au-delà des facteurs spécifiques ou des contingences historiques, il y a une variable essentielle qui doit jouer dans tous les cas, c'est la nécessité d'une vision mythique du passé. Comme la violence est un ingrédient inévitable des processus historiques, l'oubli du passé est indispensable au maintien de l'unité nationale. Renan soutient paradoxalement que l'histoire peut être nuisible à la formation de la conscience nationale et que tout nationalisme repose sur une mystification : « [...] l'essence d'une nation est que tous les individus aient beaucoup de choses en commun et aussi que tous aient oublié bien des choses[24]. » Ainsi, la conscience nationale française doit occulter les massacres des Albigeois au XIIIe siècle ou encore la Saint-Barthélemy, tout comme la construction de l'identité nationale canadienne tente d'occulter la déportation des Acadiens, la Conquête de 1759 et la répression des rébellions de 1837-1838.

Renan reconnaît que les nations n'ont pas toujours existé et qu'elles seront peut-être intégrées un jour dans des unités politiques plus vastes, telle une confédération européenne, mais il défend le principe des nationalités parce que les nations sont garantes de la liberté et que celle-ci serait menacée si le monde était uni sous une seule loi. La diversité enrichit l'humanité.

La nation sociopolitique : Michel Seymour

Les deux définitions classiques que nous venons de décrire sont trop dichotomiques pour coller à toutes les réalités que recouvre le phénomène national. La nation étant un phénomène d'autoreprésentation, il en résulte une multiplicité de formes qui reflètent les contextes particuliers où se trouvent certains peuples. Pour être systématique, il faut donc introduire une troisième définition qui tienne compte de situations intermédiaires où se trouvent des groupes nationaux qui ne sont ni des nations ethniques ni des nations civiques, c'est-à-dire qui ne possèdent pas d'État souverain et qui ne se perçoivent pas non plus comme des minorités ethniques au sein d'un État-nation dominé par une autre nationalité. Cette situation correspond au cas des Québécois, des Écossais, des Catalans, des Corses, des Basques, etc.

Pour illustrer ce phénomène, nous ferons appel à la conception de la nation du philosophe québécois Michel Seymour[25]. Cette conception a été élaborée dans le contexte de l'échec de l'accord du lac Meech qui visait à reconnaître constitutionnellement le Québec comme société distincte. Cette réforme constitutionnelle n'a pas passé le test du nationalisme canadien. Seymour tente de contrer les effets pervers de la définition civique de la nation canadienne qui exclut la reconnaissance de la nation québécoise. Il propose un concept qui transcende le caractère mutuellement exclusif des deux précédents. Sa vision amalgame les critères suivants : une **différenciation culturelle** sur une base linguistique, le contrôle d'un **territoire** qui délimite un contexte de choix spécifique et la disposition d'**institutions politiques** qui exercent l'autorité et balisent la citoyenneté. Le concept de nation sociopolitique combine des variables qui renvoient à la composition sociologique du groupe et à sa dimension politique, c'est-à-dire le fait que ce groupe constitue une communauté politique dotée d'institutions propres.

Le facteur linguistique est ici primordial, mais il présuppose que le groupe linguistique forme une communauté et que celle-ci ait une histoire particulière. La langue seule est insuffisante car cette communauté doit aussi posséder une culture spécifique qui résulte d'une expérience historique unique. Il faut que cette communauté ait l'exclusivité de cette expérience : « Il faut qu'elle constitue dans le monde entier le plus important échantillon d'une communauté linguistique partageant la même histoire et la même culture[26]. » Ensuite, ce type de nation suppose que cette communauté linguistique distincte soit majoritaire sur un territoire donné dont elle constitue la majorité nationale. Comme le concept de majorité implique celui de minorité, dès lors le territoire national peut être habité par d'autres groupes linguistiques, qui peuvent constituer soit des minorités nationales, soit des minorités culturelles, ce dernier concept désignant les communautés issues de l'immigration. Une minorité nationale est l'extension sur un territoire contigu d'une majorité nationale voisine. « Il s'agit d'un échantillon de population ayant des traits culturels spécifiques que l'on trouve à proximité du lieu où se trouve le principal échantillon de population ayant ces traits spécifiques[27]. » Le concept de nation sociopolitique englobe alors dans une même communauté politique plusieurs nations : une qui est majoritaire sur le territoire et les autres qui sont minoritaires. Il peut même arriver que deux nations majoritaires cohabitent sur le même territoire, comme c'est le cas des nations québécoise et canadienne au sein de l'État canadien ou encore des nations québécoise et autochtones dans le cas de l'État québécois.

Cette définition contient un projet politique dans la mesure où elle justifie la reconnaissance du Québec comme nation distincte au sein d'un État multinational canadien, de même qu'elle implique la reconnaissance du statut de nation avec des droits conséquents aux autochtones et aux anglophones du Québec dans un État multinational québécois, advenant l'indépendance du Québec. Une communauté peut ainsi accéder au statut de nation sans nécessairement posséder la souveraineté politique, ce qui distingue la conception sociopolitique de la conception civique de la nation. Elle se démarque aussi de la nation ethnique car la communauté linguistique ne coïncide pas avec un État-nation. En concevant l'existence de la nation sans son incarnation étatique, Seymour nous ramène en quelque sorte à la vision fichtéenne de la nation. S'il faut en croire l'interprétation d'Alain Renaut, ce dépassement des concepts ethniques et civiques de la nation dans l'ébauche d'une troisième conception « corrigeant les insuffisances symétriques des deux précédentes[28] » se trouve aussi chez Fichte.

Quoi qu'il en soit, le modèle de la nation civique ne se retrouve nulle part à l'état pur dans le monde réel, car les États qui s'en réclament se montrent très soucieux de promouvoir et de protéger leur différence culturelle. À l'ère de la mondialisation, la préservation de la différence culturelle est devenu un enjeu des relations internationales et certains États veulent faire reconnaître la clause de l'exception culturelle dans les négociations commerciales multilatérales afin de protéger leurs produits culturels et de préserver leur identité.

NOTES

1. Roger MARTELLI, *Comprendre la nation*, Paris, Éditions sociales, 1979, p. 21.
2. Voir Hans KOHN, *The Idea of Nationalism*, New York, Macmillan, 1961.
3. Voir Brigitte KRULIC, *La nation : une idée moderne*, Paris, Ellipses, 1999, p. 5.
4. Cité par John HARE, *La pensée socio-politique au Québec, 1784-1812*, Ottawa, Éditions de l'Université d'Ottawa, 1977, p. 45.
5. Emmer DE VATTEL, *Le droit des gens*, Paris, J. P. Aillaud, édition de 1835, p. 66.
6. *Ibid.*, p. 95.

7. Alain RENAUT, « Présentation », dans Fichte, *Discours à la nation allemande*, Paris, Imprimerie nationale, 1992, p. 13.
8. SIEYÈS, *Qu'est-ce que le Tiers-État ?*, Paris, Presses universitaires de France, 1982, p. 31.
9. Cette argumentation est développée par Alain FINKIELKRAUT, *La défaite de la pensée*, Paris, Gallimard, 1987, p. 22-23.
10. HERDER, *Traité de l'origine du langage*, Paris, Presses universitaires de France, 1992, p. 129.
11. Louis DUMONT, *Essais sur l'individualisme*, Paris, Seuil, 1983, p. 119.
12. FICHTE, *Discours à la nation allemande*, Paris, Aubier-Montaigne, 1975, p. 62-63.
13. *Ibid.*, p. 171-172.
14. Cité par Anthony BIRCH, *Nationalism and National Integration*, Londres et Boston, Unwin Hyman, 1989, p. 19.
15. Lettre à Strauss, 15 septembre 1871, in Ernest RENAN, *Qu'est-ce qu'une nation ? et autres essais politiques*, Paris, Presses Pocket, 192, p. 157.
16. *Ibid.*, p. 46.
17. *Ibid.*, p. 48.
18. *Ibid.*, p. 50.
19. *Ibid.*, p. 51.
20. *Ibid.*, p. 53.
21. *Ibid.*, p. 53.
22. *Ibid.*, p. 54.
23. *Ibid.*, p. 54-55.
24. *Ibid.*, p. 42.
25. Voir *La nation en question*, Montréal, L'Hexagone, 1999.
26. *Ibid.*, p. 100.
27. Michel SEYMOUR, *Nationalité, citoyenneté, solidarité*, Montréal, Liber, 1999, p. 163.
28. Alain RENAUT, « Présentation », dans FICHTE, *Discours à la nation allemande*, Paris, Éditions de l'Imprimerie nationale, 1992, p. 42.

LES INTERPRÉTATIONS MARXISTES DU NATIONALISME

Les ouvriers n'ont pas de patrie. On ne peut leur prendre ce qu'ils n'ont pas.

KARL MARX

Nous avons vu dans le chapitre précédent que le nationalisme est un phénomène complexe et paradoxal pour lequel les théories politiques se sont avérées insuffisantes. Les spécialistes des sciences sociales, qu'ils soient de tradition marxiste ou libérale, ont de la difficulté à intégrer le nationalisme dans leurs modèles et s'évertuent pour la plupart à montrer que cette idéologie est désuète, qu'elle appartient à une époque révolue. S'ils s'entendent pour décréter qu'elle a trépassé, ils divergent toutefois sur la cause du décès.

Pour les théoriciens du libéralisme, la nation constituait une **phase nécessaire** dans la modernisation des sociétés, mais une fois qu'elle a accompli son œuvre d'unification du marché, de la société et des communications, elle est condamnée à disparaître avec les progrès de l'éducation, l'extension mondiale des marchés et le développement d'une culture de consommation.

Pour les marxistes, l'idéologie nationaliste est indissolublement liée aux intérêts de la bourgeoisie et elle devait être reléguée aux poubelles de l'histoire avec la disparition de l'économie de marché et l'avènement de l'internationalisme prolétarien. L'histoire a montré que les deux prévisions étaient fausses.

La négligence et la méconnaissance du nationalisme doivent être reliées aux préjugés épistémologiques que les philosophes et les spécialistes des sciences sociales entretiennent lorsqu'ils opposent abstraitement le national et l'universel et qu'ils postulent la supériorité du dernier sur le premier. Pour eux, il y a incompatibilité *a priori* entre la science et les valeurs nationales car la première est fondée sur la raison, sur le dépassement du particulier et la recherche du général, de l'universel, alors que les secondes procèdent de l'émotif et sont centrées sur le local et le particulier. En vertu de la logique évolutionniste des sciences sociales, les nations doivent forcément se fondre dans de plus grands ensembles, car la loi de l'histoire mène à l'intégration et à l'uniformisation des cultures et des systèmes politiques.

À cet obstacle d'ordre épistémologique, s'ajoutent les biais normatifs qui s'infiltrent dans les théories sur le nationalisme puisqu'on retrouve des auteurs qui sont favorables au nationalisme, alors que d'autres s'y montrent défavorables. Les pro-nationalistes cherchent à justifier la constitution des groupes humains en nations en présentant le nationalisme comme un phénomène naturel et nécessaire, qui peut connaître des dérapages historiques mais qui est fondamentalement ouvert, tolérant, respectueux de la diversité des peuples et des cultures. Le nationalisme est défini comme un sentiment d'appartenance à un pays, à un peuple avec lequel on partage des valeurs, des souvenirs et des projets communs, ce qui contribue à l'équilibre de la personnalité individuelle et à l'intégration au sein de la société. Cette argumentation inclut aussi le droit à l'autodéfense lorsque des menaces extérieures pèsent sur la vie de la nation.

Les anti-nationalistes pour leur part présentent le nationalisme comme un archaïsme qui prolonge les instincts primitifs de l'homme. C'est une survivance du tribalisme dans le monde moderne, qui mène inéluctablement à la violence. On associe allègrement le nationalisme à l'ethnocentrisme, au chauvinisme et au racisme. Selon les tenants de cette vision, le nationalisme incarne la fermeture, l'égoïsme, l'intolérance et l'exclusion. Il est responsable des exterminations de masse, des génocides et des guerres. Certains considèrent même que c'est un crime contre l'Humanité. Le nationalisme entrave le progrès, la marche de l'humanité vers la fusion universelle.

On peut donc définir le nationalisme comme un système idéologique centré sur la défense de l'identité collective et de l'intérêt national, et qui peut dans certains cas, mais pas nécessairement dans tous les cas, s'accompagner de sentiments hostiles à l'endroit de ceux qui ne sont pas membres de la nation. Positivement, c'est l'amour de la patrie.

Les théories sociologiques de la nation, qu'elles soient d'inspiration marxiste ou fonctionnaliste, abordent habituellement trois types de questions :

1. Quels sont les fondements objectifs de la nation ? La nation est-elle une représentation imaginaire du monde ou correspond-elle à une réalité empirique ?
2. Le nationalisme est-il un phénomène historique qui est appelé à disparaître ?
3. Le nationalisme est-il l'idéologie d'une classe particulière ou au contraire cette idéologie peut-elle être partagée par différentes classes sociales ?

Les réponses à ces questions varient selon l'approche utilisée. Nous examinerons les contributions des théoriciens qui représentent ces deux courants d'analyse : soit, dans ce chapitre, Marx, Lénine, Staline et Bauer pour l'école marxiste, puis, dans le chapitre suivant, Deutsch, Gellner et Anderson pour l'école fonctionnaliste.

Les marxistes utilisent l'expression « question nationale » pour bien montrer qu'il s'agit d'un problème sociologique parmi d'autres et qui n'a pas d'importance particulière. La plupart des théoriciens marxistes ont d'ailleurs négligé le phénomène national parce qu'il cadrait mal avec leur modèle explicatif centré essentiellement sur le concept de classes sociales. En règle générale, ils estiment que la nation est une forme d'organisation qui est appelée à disparaître. Ils ont surtout développé un point de vue tactique sur la nation en essayant d'utiliser ses ressorts mobilisateurs pour accélérer l'avènement de la révolution socialiste. Leur postulat est qu'en raison de son internationalisme le mouvement socialiste sera en mesure de solutionner les situations d'oppression nationale. Cette thèse sera contredite par les faits. Les classes ouvrières européennes se sont montrées plus nationalistes qu'internationalistes lors de la Première Guerre mondiale, les Partis socialistes allemand et français ayant appuyé l'effort de guerre de leur pays respectif. Il y a eu ensuite des conflits suscités par l'intérêt national entre des États socialistes, comme ce fut le cas dans le conflit sino-soviétique ou encore dans le conflit sino-vietnamien. Enfin, les dirigeants soviétiques ont eux-mêmes utilisé les sentiments nationaux pour stimuler la mobilisation militaire*.

La question nationale chez Marx

Les positions des fondateurs du socialisme, Marx et Engels, sur le phénomène national se retrouvent dans des textes disparates qui vont des écrits de circonstances à la correspondance personnelle[1]. Il n'y a donc pas de réflexion rigoureuse sur le concept de nation et ses implications sociologiques[2], la question nationale occupe une position marginale et elle n'a pas de statut théorique dans la pensée de Marx, puisqu'elle est subordonnée au concept de classes sociales. De plus, la nation n'a pas d'importance sur le plan historique, car son existence est éphémère et liée au contexte des économies capitalistes. Les États nationaux ne sont que des jalons sur la route de la mondialisation, le rôle historique de la bourgeoisie et du prolétariat étant de dépasser le cadre historique de la nation dans l'internationalisation.

La position de Marx sur la nation est conditionnée par des impératifs tactiques.

Marx favorise la consolidation des grandes nations parce qu'elle accélère le développement du capitalisme et de ses contradictions. Il y a donc des nations historiquement nécessaires et des nations « foutues », qui doivent disparaître. C'est le sort que Marx réserve aux petits peuples agricoles qui seront intégrés par les grandes puissances dans des États multinationaux. Il pensait en particulier à la situation des Slaves du Sud.

Marx était d'esprit jacobin. Il favorisait la création de grandes entités nationales soumises à l'autorité d'un État centralisé parce qu'il estimait que cela favoriserait le développement du capitalisme et ferait progresser le mouvement ouvrier.

* Voir le film d'Eisenstein, *Alexandre Nevski.*

Même si Marx a soutenu que les ouvriers n'avaient pas de patrie, il a toujours admis que l'action révolutionnaire devait se dérouler dans le cadre de l'État national :

> Les ouvriers n'ont pas de patrie. On ne peut leur prendre ce qu'ils n'ont pas. Du fait que le prolétariat doit commencer par conquérir le pouvoir politique, s'ériger en classe nationale, se constituer lui-même en nation, il reste lui-même national, quoique nullement au sens bourgeois du mot[3].

La différence entre nation bourgeoise et nation prolétarienne tient au traitement que l'une et l'autre réservent aux relations internationales. Marx rendait les bourgeoisies nationales responsables des conflits entre nations. Il prévoit que, lorsque le mouvement ouvrier exercera le pouvoir, il fera disparaître les rivalités entre les nations : « Le jour où tombe l'antagonisme entre les classes au sein de la même nation, tombe également l'hostilité entre les nations[4]. » Cette prédiction justifiera sur le plan idéologique l'assimilation du socialisme au pacifisme, mais elle ne sera toutefois pas validée par la pratique des États socialistes.

Pour Marx, le droit à l'autodétermination est réservé aux seules **nations historiques** et l'exercice de ce droit est subordonné aux exigences de la lutte des classes. En vertu de cette logique, Marx et Engels appuieront l'émancipation nationale des Irlandais. Ils soutiennent que la libération de la nation opprimée peut être un préalable à l'émancipation sociale de la classe ouvrière. Il est donc possible que dans certains cas la lutte sociale et la lutte nationale soient complémentaires. Engels explique leur point de vue : « Deux nations en Europe ont non seulement le droit mais le devoir d'être nationales avant d'être internationales : les Irlandais et les Polonais. C'est lorsqu'ils sont bien nationaux qu'ils sont le mieux internationaux[5]. »

En introduisant cette distinction entre nations opprimées et nations dominantes, les marxistes pourront justifier le soutien du mouvement ouvrier aux luttes de libération nationale dans la mesure où celles-ci peuvent affaiblir les puissances impérialistes. Cette thématique sera reprise et actualisée par Lénine.

Lénine

Le texte majeur où Lénine aborde la question nationale s'intitule « Du droit des nations à disposer d'elles-mêmes », publié en 1914. L'apport essentiel de Lénine sera de théoriser la distinction entre nation oppressive et nation opprimée, et de différencier entre l'État national et la nation comme telle.

Contrairement à Marx, il soutient que c'est l'État national et non pas la nation qui est l'effet spécifique du capitalisme. Cette précision lui permet de reconsidérer le rôle du nationalisme dans la théorie marxiste de l'histoire, car il pense que le nationalisme n'est pas nécessairement l'idéologie de la bourgeoisie, mais que cette idéologie peut aussi être partagée par la classe ouvrière et servir ses intérêts lorsqu'il y a une situation d'oppression nationale. Il y aurait donc **deux types de nationalisme** : celui des nations oppressives, qui est réactionnaire et qui doit être combattu par le mouvement ouvrier, et celui des nations opprimées, qui est progressiste et qui peut servir la cause du socialisme.

Lénine ne se prononce pas sur l'origine historique des nations, mais il développe une thèse sur l'apparition de l'État national. Il explique la coïncidence de l'État et de la nation par une cause économique : l'expansion du marché nécessaire à l'économie capitaliste. Il pose un lien de causalité entre le développement de l'économie de marché et l'émergence de l'État-nation. Cet État national réalise les conditions favorables au développement du marché :

> On peut être sûr [...] que, parmi les besoins actuels du capitalisme, figurera la nécessité de l'homogénéité la plus grande possible de la composition nationale de la population, car le caractère national, l'identité de la langue, est un facteur important pour la conquête totale du marché intérieur et pour la liberté totale des échanges économiques[6].

L'État-nation est une **création de la bourgeoisie** qui s'en sert pour favoriser ses intérêts économiques en lui garantissant le contrôle du marché interne. Cet État sert d'instrument à une politique d'uniformisation linguistique et culturelle et cette politique crée une situation d'oppression nationale lorsque la bourgeoisie mobilise la machine de l'État pour imposer sa langue et sa culture à des populations qui ne sont pas de la même nationalité. Lénine décrit ici la situation des États multinationaux. Dans ces contextes, dit-il, la classe ouvrière et le mouvement socialiste doivent combattre le nationalisme et le chauvinisme de la bourgeoisie et soutenir le droit des nations opprimées à s'autodéterminer.

Lénine prône l'égalité réelle entre les nations, et celle-ci doit s'incarner dans le droit à l'autodétermination, c'est-à-dire le droit à la sécession qui implique la possibilité de former de nouveaux États indépendants. Il justifie sa position très avant-gardiste pour l'époque en soutenant que c'est le nationalisme des grandes puissances qui entraîne la nécessité de la séparation et de l'indépendance des petites nations :

> Dans l'ensemble, nous sommes contre la séparation. Mais nous sommes pour le droit à la séparation, à cause du nationalisme grand-russe réactionnaire, qui a tellement souillé la cause de la cohabitation nationale que, parfois, il y aura davantage de liens après une libre séparation. Nous sommes adversaires du particularisme, nous sommes persuadés que, toutes choses égales par ailleurs, les grands États peuvent résoudre avec infiniment plus de succès que les petits les problèmes engendrés par le progrès économique et ceux que pose la lutte du prolétariat contre la bourgeoisie. Mais nous n'admettons que des rapports fondés sur le libre consentement et jamais sur la contrainte. Partout où nous voyons des liens de contrainte entre des nations, nous défendons résolument et inconditionnellement, sans prôner le moins du monde la sécession obligatoire de chaque nation, le droit pour chacune d'elle de déterminer son destin politique, c'est-à-dire de se séparer[7].

On pourrait résumer sa position en disant qu'il prône la sécession si nécessaire, mais pas nécessairement la sécession[8].

> Les partis socialistes qui ne prouveraient pas par toute leur activité maintenant, pendant la révolution et après la victoire, qu'ils affranchiront les nations asservies et établiront leurs rapports avec elles sur la base d'une alliance libre — et l'alliance libre est une formule mensongère si elle n'implique pas la liberté de séparation —, ces partis trahiraient le socialisme[9].

Il fera inscrire ce droit à la sécession dans la constitution soviétique et il ne fera pas obstacle à la naissance des États indépendants qui se détacheront de la Russie dans le processus révolutionnaire. Certains, comme les pays baltes, réussirent à conserver leur indépendance, d'autres, comme la Géorgie, furent rapatriés dans le giron soviétique par l'intervention de l'Armée rouge.

Staline

Il peut paraître incongru de classer Staline parmi les théoriciens de la nation, mais avant de devenir secrétaire général du parti bolchevique et chef du gouvernement soviétique, Staline fut un intellectuel. Lénine lui avait confié la responsabilité de clarifier la position des sociaux-démocrates sur la question des nationalités, qui était vivement débattue au sein du mouvement ouvrier russe où elle suscitait des divisions. Il publiera en 1913 une brochure intitulée *Le marxisme et la question nationale*. Ce texte lui vaudra plus tard d'être nommé commissaire aux nationalités.

Même si Lénine avait commandé ce texte, Staline déviera quelque peu de la logique subtile de Lénine en présentant la nation, et non le seul État national, comme le produit du capitalisme, ce qui aura des conséquences désastreuses pour la politique soviétique à l'endroit des minorités nationales.

Staline suit Renan en soutenant que la nation est un phénomène historique, cette forme de communauté humaine n'ayant pas toujours existé et correspondant à l'émergence des sociétés capitalistes :

> La nation n'est pas seulement une catégorie historique, mais une catégorie historique d'une époque déterminée, de l'époque du capitalisme ascendant. Le processus de liquidation du féodalisme et le développement du capitalisme est en même temps le processus de constitution des hommes en nations[10].

Staline, un peu à la manière de Renan, disserte sur les différents critères qui sont évoqués dans la littérature socialiste pour définir la nation. Tout comme Renan, il rejette la thèse de l'origine ethnique, la nation « n'étant pas une communauté de race, ni de tribu[11] ». Par contre, il s'éloigne de Renan en reconnaissant que la communauté de langue est l'un des traits caractéristiques de la nation. Mais ce n'est pas suffisant, cette langue doit être utilisée de façon continue, « de générations en générations » sur un territoire commun. Il fait ensuite intervenir un critère matérialiste, soit l'existence de liaisons économiques prolongées qui relient les différentes parties de la nation en un tout. « Ainsi, la communauté de la vie économique, la cohésion économique sont l'une des particularités caractéristiques de la nation[12]. » Autrement dit, la nation est la base territoriale d'un marché où les échanges sont favorisés par une langue et une culture communes, qui facilitent la communication. Il propose ensuite la définition synthétique suivante :

> La nation est une communauté humaine, stable, historiquement constituée, née sur la base d'une communauté de langue, de territoire, de vie économique et de formation psychique qui se traduit dans une communauté de culture… Seule la présence de tous ces indices pris ensemble nous donne une nation[13].

Il cherche ensuite à montrer que les thèses des socialistes autrichiens qui préconisaient la reconnaissance de l'autonomie nationale culturelle ne sont pas fondées scientifiquement et contredisent le cours de la lutte des classes. Il faut à son avis combattre ces tendances au nationalisme dans les phases plus avancées du capitalisme. La tâche des socialistes, dit-il, n'est pas « d'organiser la nation », mais « d'organiser la lutte des classes ». Staline s'oppose au maintien des « particularités nationales », cet objectif relevant du programme politique des nationalistes bourgeois. Il conclut son analyse de façon péremptoire : « […] l'autonomie nationale, qui ne convient pas à la société actuelle, convient encore moins à la future société socialiste[14] ».

En posant le nationalisme comme une idéologie bourgeoise et la nation comme effet de l'économie de marché, Staline pouvait justifier d'avance sur le plan théorique sa politique de répression des mouvements d'affirmation nationale qui s'opposeraient à l'hégémonie russe. L'unité du mouvement ouvrier et l'internationalisme prolétarien étaient incompatibles avec le nationalisme, car la nation devait disparaître avec le capitalisme. Sa contribution théorique annonçait sa politique de russification forcée des minorités nationales de l'URSS. Le stalinisme illustre comment l'antinationalisme peut faire beaucoup de victimes.

La théorie de la nation chez Otto Bauer

Dans la tradition marxiste, Otto Bauer est l'auteur qui, sur la question nationale, a laissé l'interprétation la plus actuelle, puisqu'il a saisi le rôle clé qu'allait jouer le phénomène national à la fois dans le développement des sociétés socialistes et capitalistes. Ce sociologue autrichien, qui vécut de 1882 à 1938, a tenté de théoriser l'émergence de la question nationale dans le contexte de l'empire austro-hongrois, dans un ouvrage intitulé *La question des nationalités et la social-démocratie*, publié en 1907.

La pensée d'Otto Bauer va à l'encontre de l'orthodoxie marxiste qui présente le fait national comme un phénomène transitoire, appelé à disparaître avec l'avènement du socialisme. Il conteste l'axiome voulant que le développement économique conduise à la disparition des différences nationales. Il rejette la position théorique qui identifie la nation à l'État capitaliste, mais il cherche lui aussi à cerner des critères objectifs qui permettent de préciser ce qu'est la nation. Il définit la nation en ces termes :

> La nation est l'ensemble des hommes liés par une communauté de destin en une communauté de caractère... Le centre de gravité de ma théorie de la nation ne réside pas dans la définition de la nation, mais dans la description de ce processus d'intégration qui a donné naissance à la nation moderne. Si on veut reconnaître un mérite à ma théorie de la nation, c'est celui d'avoir pour la première fois déduit ce processus d'intégration du développement économique, des modifications de la structure sociale, de la division de la société en classes... Le réveil des nations est le produit du développement économique et social[15].

Bauer est marxiste quand il lie les phénomènes sociologiques aux facteurs économiques. Ainsi, il soutient que le développement du capitalisme a effectivement pour effet de niveler les différences culturelles, mais il affirme par ailleurs que, lorsque la classe ouvrière réussira à s'approprier les richesses culturelles, elle accentuera le développement des particularités nationales. S'il est vrai que le capitalisme tend à internationaliser la culture dominante, le rôle du mouvement ouvrier n'est pas d'aller plus loin dans cette direction, mais de maintenir et de développer les cultures nationales. Son projet politique est de réaliser l'unité internationale dans le respect des spécificités nationales. L'avènement du socialisme devait entraîner une différenciation croissante entre les nations. Ce point de vue sera battu en brèche par Lénine qui n'y verra qu'illusion. Il a qualifié cette position de « nationalisme raffiné. Un nationalisme nettoyé, sans exploitation, sans discorde[16]. »

Chez Bauer, le critère constitutif de la nation, c'est la **communauté de langue**, qui définit la communauté de culture. Contrairement aux théoriciens marxistes, Bauer ne présente pas la culture nationale comme un produit idéologique propre à la bourgeoisie, elle transcende les frontières de classes et échappe aux clivages sociaux. La culture nationale est un lien invisible qui lie entre eux les agents de classes sociales différentes.

La lutte des classes ne signifie pas qu'il y a une rupture sur le plan de la communauté de culture. Il affirme plutôt qu'il y a une plus grande proximité culturelle entre le bourgeois et le travailleur anglais qu'entre le travailleur allemand et le travailleur anglais, cette communauté de culture étant le produit de la langue commune aux deux premiers :

> Car quoiqu'il puisse exister des relations de communication entre les travailleurs allemands et anglais, elles sont quand même beaucoup plus ténues que les rapports que nouent le travailleur et le bourgeois anglais du fait qu'ils vivent dans la même ville, qu'ils lisent les mêmes affiches murales, les mêmes journaux, qu'ils prennent part aux mêmes événements politiques ou sportifs, qu'il leur arrive aussi de se parler, soit directement, soit par l'entremise des différents intermédiaires entre capitalistes et travailleurs[17].

Dans toute société, il y a une culture commune partagée indépendamment des conditions sociales. Les différences de classes se manifestent dans le degré de participation à cette culture commune. C'est le socialisme qui permettra la réalisation intégrale de la culture nationale en démocratisant l'accès à la culture.

Au centre de sa conception de la nation se trouve la capacité de communiquer que procure la langue commune, celle-ci servant de lien dans toutes les relations sociales et économiques. Une culture est commune à tous ceux qui parlent la même langue et qui peuvent se comprendre et ainsi être en communication. Cette idée sera reprise par les théoriciens fonctionnalistes, tels Karl Deutsch et Ernest Gellner.

Dans la théorie marxiste, il n'y a donc pas d'unité en ce qui concerne l'analyse de la nation. Certains définissent la nation comme un phénomène historique, d'autre comme transhistorique. Certains perçoivent la nation comme une catégorie relevant de l'idéologie de la bourgeoisie, d'autres estiment qu'elle a des fondements objectifs, comme le territoire, la langue et la culture. Certains estiment que le nationalisme est un obstacle à la construction du socialisme, d'autres prétendent que dans le contexte de l'oppression nationale la lutte sociale et la lutte nationale sont complémentaires.

NOTES

1. Nous suivons ici l'analyse de Georges HAUPT, *Les marxistes et la question nationale*, Montréal, L'Étincelle, 1974.
2. Voir Henri LEFEBVRE, « Classe et nation depuis le *Manifeste* », *Cahiers internationaux de sociologie*, vol. XXXVIII, 1965, p. 36.
3. *Manifeste du parti communiste*, cité in G. HAUPT, *op. cit.*, p. 68.
4. *Ibid.*
5. *Ibid.*, p. 19.
6. *Ibid.*, p. 332.
7. *Ibid.*, p. 353.
8. Voir Hélène CARRÈRE D'ENCAUSSE, « Unité prolétarienne et diversité nationale », *Revue française de science politique*, avril 1971, p. 58.
9. LÉNINE, *Sur les questions nationales et coloniales*, Pékin, Éditions en langue étrangères, 1967, p. 2.
10. G. HAUPT, *op. cit.*, p. 317.
11. *Ibid.*, p. 311.
12. *Ibid.*, p. 313.
13. *Ibid.*
14. *Ibid.*, p. 324.
15. *La question des nationalités et la social-démocratie*, cité in G. HAUPT, *op. cit.*, p. 254 et suiv.
16. *Ibid.*, p. 49.
17. *Ibid.*, p. 236.

4

LES CONTRIBUTIONS DE LA SOCIOLOGIE FONCTIONNALISTE

La littérature est la mère de la nation et les intellectuels en sont les chefs de file.

Les théoriciens fonctionnalistes perçoivent le nationalisme comme un phénomène historique moderne. Ils le situent dans le prolongement de la Révolution française, ils le lient sociologiquement au développement de l'économie de marché et l'associent à l'apparition des États-nations. Ils rejettent d'emblée l'idée selon laquelle la différenciation physique pourrait constituer le caractère distinctif des nations. La nation est plutôt conçue comme un phénomène subjectif, qui relève de l'imaginaire. Il n'y a pas de critères objectifs qui permettent de définir la nation. Celle-ci se manifeste par des sentiments d'appartenance et de solidarité. Dès lors, la nation n'existe pas par elle-même : elle est l'œuvre de l'idéologie nationaliste.

La théorie fonctionnaliste attribue deux fonctions au nationalisme :

1. Favoriser l'intégration et la cohésion nationale en renforçant le vouloir-vivre collectif ; différencier le « nous » et les « autres ».
2. Maintenir ou préserver cette différenciation par la recherche et la défense de la souveraineté de l'État national.

Toute idéologie nationaliste cherche donc à établir une distinction nationale, à la valoriser et à la protéger.

Le nationalisme est un phénomène de conscience, une représentation de l'être-ensemble, où l'unité et la cohésion du groupe priment sur les oppositions internes et sur les différences avec les autres.

La nation comme phénomène de communication : Karl Deutsch

Karl Deutsch est un politologue américain qui a été fortement influencé par la théorie de la communication, comme l'indique le titre de son livre : *Nationalism and Social Communication*. Il est aussi reconnu pour avoir introduit la perspective cybernétique en science politique avec *The Nerves of Government*.

Karl Deutsch cherche à définir des critères empiriques qui permettent de quantifier des concepts aussi vagues que ceux de conscience nationale et de vouloir-vivre collectif. Ces critères doivent être suffisamment précis pour servir à l'observation et faire l'objet de vérifications empiriques. Ils doivent s'appliquer à la fois aux comportements individuels et collectifs. Enfin, la description du nationalisme doit s'appuyer sur des données observables. À cet égard, Deutsch pense que le concept de communication est le plus fructueux pour décrire le nationalisme parce que le processus de communication est à la base de la cohérence des sociétés, des cultures et des peuples. Puisque le concept de communication s'applique à ces trois niveaux de réalité, il définit ce qu'il entend par les concepts de société, de culture et de peuple.

Une **société** est un groupe d'individus dont le niveau d'interdépendance est plus élevé que ce qu'ils peuvent connaître avec un autre groupe d'individus. C'est un groupe relié par des échanges de forte intensité sur les plans économique, social et culturel et qui est distinct des autres groupes avec lesquels il entretient des échanges d'un moindre niveau d'intensité. Ce niveau d'intensité est lié au partage d'une culture commune.

Une **culture commune** est constituée par un ensemble stable de préférences, de valeurs et de comportements. Ce sont ces éléments qui rendent la communication possible. Le concept d'information permet de rendre compte de la culture à la base de l'identité nationale : il correspond à l'ensemble des connaissances partagées par les membres de la communauté nationale.

Une nation ou un peuple, c'est donc l'ensemble des personnes qui ont appris à communiquer et à se comprendre mutuellement : « Nous appelons peuple un grand groupe de personnes liées par des habitudes et une certaine facilité à communiquer[1]. »

Appartenir à un **peuple**, c'est être capable de communiquer plus efficacement avec les autres membres du groupe qu'avec des personnes qui n'en sont pas. Cette capacité de communication se manifeste dans les rituels du mariage et de la mort, dans les critères de beauté, dans les habitudes de consommation, de jeu, dans les relations sociales comme la bise ou la poignée de main. Ces expériences communes vécues de la naissance à la mort structurent les capacités de communiquer et tissent des liens entre les individus d'un même pays. C'est sur cette base que la communication peut s'établir entre les personnes, mais c'est aussi par ces normes sociales que s'érigent des barrières à la communication. Cette capacité de se reconnaître et de se comprendre transcende les différences de statut social :

> Nous proposons une définition fonctionnelle de la nation. L'appartenance à un peuple est intrinsèquement liée à la communication à l'intérieur de la société. On peut la définir comme la faculté de communiquer de façon plus efficace et d'aborder un plus grand nombre de sujets avec les membres du groupe plutôt qu'avec les étrangers[2].

Les facteurs qui favorisent la communication sont la langue, la culture et l'expérience communes. Le meilleur indicateur d'une même identité nationale est le nombre de référents partagés par les membres d'une société.

La nation résulte d'un processus d'intégration réalisé historiquement par l'extension des réseaux de communication. Une société au mode de vie sédentaire, isolée et qui vit en autarcie, aura peu d'échanges avec les autres communautés humaines et tendra à développer une langue particulière. Mais avec la construction des routes qui accroissent la circulation des hommes et des marchandises, les sociétés isolées sont mises en communication, ce qui entraîne progressivement une standardisation des langues. De façon imagée, on peut dire que les routes serviront de squelette à la construction de l'identité nationale parce qu'elles faciliteront les échanges et l'uniformisation linguistique et culturelle. Au Canada, ce processus d'intégration a été favorisé par la construction des chemins de fer. La Confédération canadienne a été créée précisément pour financer cette entreprise. De nos jours, ce rôle intégrateur revient aux réseaux de télévision. Le mandat de la Société Radio-Canada, défini par la Loi canadienne sur la radiodiffusion, contient un projet identitaire : « Le système canadien de radiodiffusion est un service public essentiel pour le maintien et la valorisation de l'identité nationale et de la souveraineté nationale[3]. »

Pour déterminer les limites de l'identité nationale, on peut utiliser comme critère la capacité de prévoir le comportement des autres : « Quand nous pouvons prédire ce qu'une autre personne fera, nous avons alors tendance à lui faire confiance. À l'inverse, nous ne pouvons pas prédire le comportement des étrangers[4]. »

Ce principe de prédictibilité est problématique au Canada car les francophones et les anglophones n'ont pas les mêmes valeurs. Ainsi, une enquête du magazine *L'actualité* en 1995 révélait des différences significatives entre Québécois et Canadiens. Au chapitre de l'habillement, on constatait que les Québécois investissent plus dans les vêtements et les soins du corps, qu'ils soignent plus leur apparence et qu'ils sont moins conformistes dans le choix des couleurs qu'ils portent. Ils passent aussi plus de temps à l'extérieur de la maison et fréquentent les restaurants plus que les Canadiens. Cette réalité de la distinction nationale est reconnue par l'industrie de la publicité qui planifie des campagnes différentes en anglais et en français.

Karl Deutsch prévoit la fin du nationalisme et la formation d'un gouvernement mondial. Il pense que cela adviendra par la mondialisation des échanges et par l'accroissement des flux de communication, qui véhiculeront une culture mondiale et la réduction des inégalités économiques.

La construction des nations : Ernest Gellner

La théorie de Gellner établit un lien entre l'industrialisation et le développement du nationalisme. Sa théorie adopte les postulats suivants :

1. Tous les hommes ont une nationalité.
2. Ils désirent vivre avec ceux qui ont la même nationalité et n'aiment pas être dirigés ou dominés par d'autres nationalités.
3. Cet état de choses est désirable et le nationalisme est sociologiquement nécessaire.

Pour Gellner, la construction des nations a été amorcée par la Révolution française. Avant, les unités politiques étaient soit plus petites (les cités, les tribus et les villages), soit plus grandes que l'État-nation (les empires, les Églises). Il n'y avait pas coïncidence entre l'unité politique et la langue ou la culture, et il arrivait souvent que le pouvoir politique soit exercé par des étrangers, en raison de mariages dynastiques ou d'alliances. Dès lors, pour quelles raisons les nations se sont-elles imposées comme phénomène universel ?

La réponse de Gellner est complexe. Sa thèse principale est de lier ce phénomène à l'**industrialisation** et à la complexification de la **division du travail**. L'émergence du sentiment d'appartenance nationale est expliquée par les différences de structuration sociale entre les sociétés agricoles et les sociétés industrielles.

La nation et le nationalisme sont les effets de l'industrialisation et de la modernisation. La nation résulte de la dissolution des solidarités primaires fondées sur un lien naturel : la famille et le village, qui étaient les structures de base de la société traditionnelle.

Le premier effet de l'industrialisation est de regrouper de vastes populations dans les villes où sont installées les usines. Ces populations ouvrières sont déplacées et déracinées par les besoins du marché du travail. La modernisation signifie donc l'exode rural et la mobilité sociale.

Gellner décrit les différences essentielles entre les sociétés agricoles et les sociétés industrielles. Dans les premières, la structure sociale est clairement définie, les rôles sont précis et fixes, chacun occupe une place spécifique et il y a peu de changement ou de mobilité sociale. Il y a diversité de langues et de cultures, et souvent la langue des lettrés et du groupe dirigeant n'est pas la même que celle de la population. Mais cette différence culturelle ne pose pas problème, car il n'y a pas de mobilité sociale et la diversité culturelle ne sert pas de base à la contestation sociale. L'Église a dominé en parlant latin, et les rois ne parlaient pas toujours la langue de leurs sujets.

Le passage de la société traditionnelle à la société industrielle désagrège les tissus sociaux et les rôles traditionnels, il y a effritement des sous-groupes et des solidarités liés à l'espace rural, phénomène que Gellner appelle l'entropie sociale. La structure sociale de la société industrielle est très différente : elle est plus aléatoire, l'appartenance est fluide et la mobilité sociale est forte. Les contraintes sociales s'affaiblissent. En ville, l'individu se trouve isolé dans un milieu anonyme, où il est dépossédé de ses repères et de ses allégeances traditionnelles, l'Église, la famille, le village. Il éprouve un besoin de loyauté, d'identité et d'appartenance qui se portera sur une unité sociale plus englobante — la nation — et qui s'exprimera par l'attachement à la culture, à ce qui le relie abstraitement aux autres. Gellner constate que, contrairement aux sociétés agricoles, les sociétés industrielles utilisent des critères culturels pour se définir et se différencier des autres.

L'émergence du nationalisme suppose donc un développement social et culturel complexe, de même que l'existence d'un système d'éducation dont l'accès soit universel et qui soit un facteur d'homogénéisation de la culture. Les sociétés traditionnelles ne produisent pas suffisamment de ressources pour entretenir un système d'éducation qui soit accessible à tous et qui réponde aux besoins de la production industrielle. Dans la société moderne, c'est l'État qui prend en charge l'éducation et c'est par elle que l'individu accède à la mobilité sociale et à la richesse (« Qui s'instruit, s'enrichit »). L'éducation socialise aussi l'individu à ses droits et à ses devoirs de citoyens, d'où l'importance du lien entre la nation et l'État.

Le nationalisme est donc une idéologie qui encourage la loyauté à des unités politiques qui ont une homogénéité culturelle et qui sont fondées sur une culture lettrée de haut niveau. L'éducation joue un rôle déterminant dans la construction de l'identité nationale, car l'école transmet non seulement des connaissances techniques mais aussi des représentations symboliques qui définissent les balises de l'identité.

L'analyse de Gellner permet d'expliquer les conflits nationaux dans les États constitués. Pour expliquer l'émergence des mouvements sécessionnistes, il combine deux phénomènes : celui de la différence culturelle et celui de l'inégalité économique et sociale. Les mouvements sécessionnistes apparaissent lorsqu'une population rurale s'urbanise et s'industrialise dans une société qui ne partage pas sa culture et sa langue, et lorsque ces différences culturelles recoupent des inégalités socio-économiques. Il y a alors contestation de la culture nationale dominante à partir de la différence culturelle. « Dans ce contexte, écrit Gellner, les hommes veulent être unis politiquement avec ceux et seulement avec ceux qui partagent leur culture. Les sociétés politiques veulent étendre leurs frontières aux limites de leur culture[5]. » Il ne pense pas que deux cultures importantes, dignes d'être indépendantes, puissent cohabiter sous le même toit politique.

La nation comme phénomène imaginaire : Benedict Anderson

Tout en rejoignant Gellner sur plusieurs points dans son analyse du lien entre industrialisation et nationalisme, Anderson ajoute à l'interprétation fonctionnaliste la dimension psychologique du phénomène et tente de retracer l'origine de la conscience nationale. Le titre de son livre, *L'imaginaire national*, indique qu'il s'intéresse aux processus mentaux qui sous-tendent le nationalisme. Il intègre dans le modèle explicatif les aspects émotifs de l'appartenance nationale.

Anderson définit la nation comme une communauté politique imaginaire et imaginée :

> Elle est imaginaire parce que les membres de la plus petite des nations ne connaîtront jamais la plupart de leurs concitoyens : jamais ils ne les croiseront, ni n'entendront parler d'eux, bien que dans l'esprit de chacun vive l'image de leur communion[6].

La nation est donc essentiellement un **phénomène de conscience**, mais cette dimension imaginaire ne signifie pas que la nation soit une illusion sans conséquence pour le fonctionnement des sociétés, car cette représentation de la communauté nationale peut susciter des sentiments d'amour et de haine très puissants. Les peuples sont très attachés aux fruits de leur imagination et les individus peuvent même accepter de sacrifier leur vie pour cette invention : « [...] les nations inspirent l'amour, un amour qui va souvent jusqu'au sacrifice[7]. » Cette émotion que suscite la nation est sublimée dans les œuvres culturelles. La poésie, les romans, la musique, les arts plastiques expriment très souvent cet amour de la patrie. Quant aux sentiments de haine que peut aussi engendrer le nationalisme, ils sont beaucoup plus rarement exprimés directement dans la littérature ou les œuvres de l'esprit : « [...] les expressions de haine demeurent insignifiantes dans ces expressions du sentiment national[8]. »

En plus de sa dimension affective, le concept de nation possède deux autres caractéristiques. Il est d'abord limitatif, c'est-à-dire qu'il situe un groupe humain à l'intérieur de frontières plus ou moins fixes et qu'il ne prétend pas englober l'humanité. Il associe un groupe à la possession d'un territoire. Ensuite, le concept de nation est indissociable du concept de souveraineté, en ce sens que toutes les nations rêvent d'être libres.

Quelles sont les racines culturelles de ce sentiment et pourquoi est-il si puissant ? Anderson dans son explication reprend une idée chère à Fichte. Il soutient que le nationalisme trouve son fondement et sa force dans la **conscience de la mort**. Comme chacun sait qu'il va mourir, il cherche à se projeter dans une communauté qui a de plus grandes chances de pérennité. Autrement dit, la nation, un peu à la manière de la croyance religieuse, transforme la finitude humaine en continuité et donne un sens à la vie. La nation est donc pensée comme un lien naturel qui prolonge la famille et, pour cette raison, elle est souvent associée au vocabulaire de la parenté : patrie (terre des pères, *Vaterland* en allemand), mère patrie. La nation, c'est la famille en grand et, tout comme la famille, elle est le domaine de l'amour désintéressé et de la solidarité.

Sur le plan historique, le nationalisme a renversé les deux piliers de la société traditionnelle, soit la religion et le principe dynastique. La suprématie de la religion chrétienne a été mise en question par la découverte des nouveaux mondes. Les voyages des explorateurs et leurs récits ont créé un climat de relativisme culturel, car ils ont fait découvrir l'existence d'autres types de religion et de pratiques culturelles. Cette conscience du pluralisme des systèmes religieux sera amplifiée par la chute du latin comme langue véhiculaire et l'émergence des langues vernaculaires, phénomène qui contient en germe la territorialisation des communautés.

Le système de la légitimité monarchique, quant à lui, a commencé à être ébranlé au XVIIe siècle avec la décapitation de Charles Ier Stuart en 1649. Ce processus deviendra irréversible avec la Révolution française qui, elle aussi, décapitera le roi Louis XVI. Pour Anderson, l'idée de nation n'a pu émerger historiquement qu'au moment où trois conceptions culturelles très anciennes ont perdu leur crédit. La première de ces conceptions concernait le statut privilégié du latin. La seconde certifiait que toutes les sociétés étaient naturellement organisées autour de leurs monarques. « La troisième était une conception de la temporalité dans laquelle cosmologie et histoire se confondaient, où les origines du monde et des hommes étaient foncièrement identiques... On se mit alors en quête d'une nouvelle manière d'associer fraternité, pouvoir et temps[9]. »

Ce qui a rendu possible cette transformation de la représentation du monde, c'est l'invention de l'imprimerie, associée à l'émergence de l'économie de marché. Anderson soutient que l'édition commerciale a été le cheval de Troie qui a permis au nationalisme de supplanter les idéologies religieuses et monarchiques.

S'appuyant sur Francis Bacon qui avait écrit que « l'imprimerie a changé la physionomie et l'état du monde », il soutient que l'édition a été la première forme d'entreprise capitaliste, dans la mesure où le livre est le premier produit durable, reproduit en série et préfigurant la production de masse. L'imprimé permettait de disséminer des idées à des lecteurs inconnus, mais qui pouvaient communiquer entre eux par la pensée et se représenter comme membres d'une communauté. La logique du marché incitera les éditeurs à produire des livres en d'autres langues que le latin pour rejoindre de plus vastes clientèles.

Ce mouvement de la pensée est qualifié par Anderson de « révolution vernaculaire ». Il estime que le coup d'envoi du nationalisme remonte à l'impression du *Manifeste* de Luther en 1520. À son avis, Luther est non seulement le fondateur du protestantisme, mais aussi de l'identité nationale allemande parce qu'il est le premier à avoir écrit dans la langue du peuple et à avoir diffusé massivement ses textes. Il estime à cet égard qu'un tiers de tous les livres publiés en allemand et vendus entre 1518 et 1525 étaient de Luther, dont sa célèbre traduction de la Bible : « La coalition entre le protestantisme et le capitalisme de l'imprimerie exploitant des éditions populaires et bon marché eut tôt fait de créer de vastes nouveaux publics de lecteurs, notamment chez les marchands et les femmes qui ne connaissaient guère le latin[10]. »

Le latin fut ainsi progressivement détrôné par l'édition en langue populaire et ces langues jetèrent les bases de la conscience nationale : « [...] ces co-lecteurs associés par l'imprimé formaient un embryon de communauté nationale imaginée[11]. » Ainsi, la littérature est la mère de la nation, car le livre diffuse les langues populaires, crée une communauté de lecteurs et relie des individus qui ne se connaissent pas.

Pour Anderson, l'émergence du nationalisme est le résultat de l'affirmation des **langues vernaculaires** et celle-ci a été rendue possible par l'invention de l'imprimé : « Nous pouvons dire que la convergence du capitalisme et de la technologie de l'imprimerie, sur la diversité fatale des langues humaines, a ouvert la possibilité d'une nouvelle forme de communauté imaginée et a créé les conditions de la nation moderne[12]. »

Le livre et plus tard le journal permettront de communiquer à distance sans se connaître et créeront de ce fait une identité, c'est-à-dire une reconnaissance entre semblables.

De la publication de grammaires et d'œuvres littéraires en langue vernaculaire dépend l'émergence des nations. Anderson donne en exemple la Norvège où le nationalisme s'est affirmé à partir de la publication d'une nouvelle grammaire du norvégien en 1848 et d'un nouveau dictionnaire en 1850. Cette production littéraire était consommée par les familles alphabétisées, soit l'aristocratie, les membres des professions libérales, la bourgeoisie industrielle et commerciale et les commis de l'État. C'est à travers l'imprimé que la bourgeoisie put se constituer en classe : « Dans l'histoire universelle, les bourgeoisies furent donc les premières classes à établir leur solidarité sur des bases fondamentalement imaginées[13]. »

Un autre facteur viendra amplifier ce mouvement, soit l'apparition des langues vernaculaires dans l'administration des États. Le français devint langue officielle des cours de justice en 1539 par l'ordonnance de Villers-Cotterêts. L'extension des bureaucraties dans le cadre des États modernes sera un facteur de mobilité sociale pour ceux qui sauront lire et écrire, et qui imposeront les langues vernaculaires dans le fonctionnement des institutions politiques. Ces langues, qui avaient supplanté le latin comme langues de communication, se diffuseront sur l'ensemble du territoire et provoqueront à terme le déclin des dialectes locaux.

Si le principe de la révolution vernaculaire convient au processus de constitution des nations en Europe, Anderson pense qu'il ne peut s'appliquer universellement, car il n'est pas suffisant pour expliquer l'émergence des nations en Amérique du Nord et du Sud, puisqu'il y avait une langue commune entre la métropole et ses colonies. Dès lors, pourquoi les communautés créoles de l'Amérique hispanique ont-elles acquis si tôt le sentiment de former une nation, et ce bien avant les nations européennes ? Il évoque alors des facteurs plus sociologiques que culturels, dont le blocage de la mobilité sociale des créoles, exclus des postes de pouvoir au profit des coloniaux, ou encore les contrôles rigides qu'imposait la métropole aux économies coloniales. Mais au-delà de ces facteurs matériels, il met en relief le rôle clé qu'ont joué les journaux dans la production et la diffusion d'une représentation du monde colonial différenciée de celle de la métropole, créant ainsi une conscience américaine.

Anderson conteste la thèse selon laquelle le nationalisme serait forcément porteur de racisme et d'antisémitisme, car le racisme relève de l'idéologie de classe et est fondé sur l'idée de suprématie, alors que la nation est fondée sur l'idée d'égalité. En effet, tout individu qui est prêt à y mettre le temps peut apprendre une langue et, de ce fait, en venir à appartenir à la communauté nationale, alors que l'appartenance à une race est une fatalité qui échappe à la volonté individuelle.

En somme, pour Anderson, le moteur de la conscience nationale, ce sont les producteurs de sens, c'est-à-dire les intellectuels, qui sont les spécialistes de la langue, les producteurs de culture et les diffuseurs d'idées.

NOTES

1. Karl DEUTSCH, *Nationalism and Social Communication*, Cambridge et New York, Technology Press of the MIT et Wiley, 1953, p. 96. Traduction libre.
2. *Ibid.*, p. 97. Traduction libre.
3. Loi canadienne sur la radiodiffusion, chapitre B-9.3, alinéa b.
4. Karl DEUTSCH, *Nationalism and Its Alternatives*, New York, Knopf, 1969, p. 15. Traduction libre.
5. Ernest GELLNER, *Nations et nationalisme*, Paris, Payot, 1989, p. 169.
6. Benedict ANDERSON, *L'imaginaire national*, Paris, La Découverte, 1996, p. 19.
7. *Ibid.*, p. 145.
8. *Ibid.*, p. 145.
9. *Ibid.*, p. 47.
10. *Ibid.*, p. 52.
11. *Ibid.*, p. 55.
12. *Ibid.*, p. 57.
13. *Ibid.*, p. 86.

5

LE DROIT À L'AUTODÉTERMINATION

Tous les États ont peur du droit des peuples
à disposer d'eux-mêmes[1].

Le principe de l'autodétermination des peuples fut introduit dans le droit international à la fin de la Première Guerre mondiale. Il fut officiellement formulé par le président américain Woodrow Wilson en 1918 pour désigner le droit des peuples occupés militairement de conserver leur souveraineté sur leur territoire : « Les aspirations nationales doivent être respectées, les peuples ne peuvent être dominés et gouvernés que par leur propre consentement. L'auto-détermination n'est pas simplement un mot, c'est un principe d'action impératif[2]. » Il servit par la suite à justifier la dissolution des empires austro-hongrois et ottoman lors de l'adoption des traités de paix en 1919-1920. Selon le juriste québécois Jacques Brossard, il signifiait alors « le droit pour un peuple de déterminer son propre régime politique aussi bien que le droit de faire partie de l'État de son choix[3] ».

Après la Deuxième Guerre mondiale, il fut inscrit à l'article 1 de la Charte des Nations unies, qui stipule que le but de cette organisation est de développer entre les nations des relations amicales fondées « sur le respect du principe de l'égalité de droit des peuples et de leur droit à disposer d'eux-mêmes ». Ce principe fut par la suite précisé et réaffirmé par d'autres conventions et résolutions. En 1966, on le retrouve dans le pacte sur les

Article 1 de N.U : Droit de disposer de nous-même

droits économiques, sociaux et culturels et dans le pacte sur les droits civiques et politiques : « Tous les peuples ont le droit de disposer d'eux-mêmes. En vertu de ce droit, ils déterminent librement leur statut politique et poursuivent librement leur développement économique, social et culturel. » En 1970, il est inscrit dans la déclaration relative aux principes du droit international touchant les relations amicales et la coopération entre les États.

Mais l'interprétation de ce principe soulève la controverse parce que les textes des Nations unies sont ambigus, dans la mesure où ils reflètent l'état des rapports de force au sein de la communauté internationale et qu'en l'occurrence ils ont été élaborés pour légitimer la création de nouveaux États à la suite de la décolonisation. Or, ces nouveaux États membres ne voulaient pas, à leur tour, voir leur unité politique contestée au nom de ce même principe. Ainsi, dans la Déclaration du 24 octobre 1970, on stipule que le droit des peuples à la libre disposition d'eux-mêmes ne doit pas s'interpréter comme autorisant le démembrement d'un État souverain.

En fait, cette déclaration porte sur les relations entre les États membres de l'ONU et établit un autre principe de droit international qui est celui de la **non-ingérence** dans les affaires des autres États. « Tous les peuples ont le droit de déterminer leur statut politique en toute liberté, sans ingérence extérieure [...] tout État a le devoir de respecter ce droit conformément aux dispositions de la Charte. » Les États ne doivent pas chercher à rompre l'unité politique ou l'intégrité territoriale d'un autre État et doivent respecter l'indépendance de tout État membre. Les États s'interdisent aussi d'utiliser des moyens coercitifs pour entraver l'exercice du droit à l'autodétermination. Selon Jacques Brassard, cette déclaration tente de ménager la chèvre et le chou. Elle constitue une acrobatie intellectuelle visant à obtenir la signature des États nouvellement constitués qui englobaient plusieurs peuples. Ce spécialiste estime avec ironie que, en vertu de ce raisonnement, « si un État englobant refuse aux peuples qu'il englobe le droit de s'autodéterminer, ceux-ci se trouvent à l'obtenir, mais [...] s'il leur accorde ce droit, ils le perdent[4] ». L'introduction d'une restriction dans la déclaration de 1970 donne en apparence la priorité au maintien de l'intégrité territoriale des États constitués sur la liberté des peuples qu'ils englobent à disposer d'eux-mêmes. Cela n'a pas empêché le Bangla Desh de rompre l'unité politique du Pakistan en 1971 et, plus récemment, l'Érythrée de se séparer de l'Éthiopie.

Qui peut réclamer le droit à l'autodétermination ?

La réponse à cette question est conditionnée implicitement par certaines questions subsidiaires car les États constitués se méfient des effets de ce droit : la reconnaissance du droit à l'autodétermination ne risque-t-elle pas d'engendrer la prolifération des États nationaux et de créer une plus grande instabilité internationale ? Toutes les minorités différenciées culturellement peuvent-elles accéder à la souveraineté ? Y a-t-il des balises qui encadrent le droit à l'autodétermination ?

La première condition pour réclamer l'exercice de ce droit est de **constituer un peuple**. Un peuple existe lorsqu'une population est concentrée et majoritaire sur un territoire déterminé, qu'elle manifeste de façon tangible sa volonté de vivre en commun et, pour ce faire, de se séparer de l'État dans lequel elle est intégrée et, enfin, qu'elle dispose d'institutions politiques capables d'exercer une certaine autorité sur son territoire. Toutes les minorités ethniques ne correspondent pas à cette définition et ne peuvent donc se qualifier pour exercer ce droit. Historiquement, ce droit a été exercé de deux façons : soit par l'action révolutionnaire du peuple qui se soulève contre son État tutélaire, comme l'ont fait les Américains en 1776 ou encore les colonies espagnoles au début du XIXe siècle ; soit par le référendum, où le peuple exprime sa volonté en répondant à une question impartiale et selon des règles démocratiques. Le premier référendum d'autodétermination fut organisé en 1860 ; la population de Nice et de la Savoie décida le rattachement de son territoire à la France plutôt qu'à l'Italie qui l'englobait jusque là. En 1905, la Norvège décida aussi par référendum de se séparer de la Suède. Plus près de nous, le référendum fut utilisé à Terre-Neuve en 1949 pour décider de son rattachement au Canada. On dut s'y prendre à deux fois pour dégager une majorité claire.

Depuis 1945, ce sont surtout les peuples en situation coloniale qui se sont prévalus du droit à l'autodétermination pour se séparer de leur métropole et accéder à l'indépendance*. Pour enrayer une éventuelle fragmentation de

* Alors que les États membres de l'ONU n'étaient que 51 en 1945, ce nombre a presque quadruplé et ils sont maintenant 189. De plus, 35 de ces États ont une population qui ne dépasse pas 500 000 habitants.

leur territoire, certains États comme le Canada et le Nigeria ont voulu vider ce droit de sa substance en soutenant que ce droit devait être restreint aux peuples soumis à la domination coloniale, victimes de discrimination et qui ne disposaient pas d'un gouvernement représentatif. Cette définition le rendait obsolète puisque les peuples coloniaux sont une espèce en voie de disparition*.

Mais l'histoire ne peut être figée et le droit international s'adapte aux situations de fait. Ian Browlie écrit à ce propos : « There can be no question that the right of self-determination is not confined to the so-called colonial agenda. The right inheres in " all peoples "[5]. » Les organes de l'ONU ont été obligés d'élargir l'application du droit à l'autodétermination et de reconnaître l'indépendance de nombreux États avec l'effondrement du bloc communiste. La déclaration et le programme d'action adoptés à Vienne le 25 juin 1993, à l'issue de la Conférence mondiale de l'ONU sur les droits de l'homme, a reconnu « que non seulement les peuples soumis à domination coloniale, mais aussi ceux soumis à d'autres formes de domination ou d'occupation étrangères ont le droit de prendre toute mesure légitime, conformément à la Charte des Nations Unies, pour réaliser leur droit inaliénable à l'autodétermination[6] ». Il y aurait donc, depuis 1970, une extension du droit à l'autodétermination. Théodore Christakis estime que la logique du « cas par cas » ou le **principe de l'effectivité** régit aujourd'hui l'application sécessionniste du droit à l'autodétermination. C'est-à-dire que le droit de faire sécession n'est ni explicitement autorisé ni explicitement interdit dans les textes de droit international.

Un État membre d'une fédération peut-il faire sécession ?

Hormis la constitution de l'ex-Union soviétique, les régimes fédéraux ne reconnaissent pas dans leur constitution le droit d'un État membre de faire sécession. Une constitution cherche à figer dans le temps un état de fait, imposé par un rapport de force. Elle ne peut donc pas intégrer une règle qui permettrait la mise en cause permanente du régime politique et qui institu-

* L'Assemblée générale de l'ONU considère qu'il y a encore 17 territoires non autonomes, qui sont pour la plupart de petites îles des Caraïbes comme les Bermudes, Turks et Caicos, les îles Vierges, les îles Caïmans, Anguilla, etc. Le Timor oriental faisait partie de cette liste jusqu'en 1999.

tionnaliserait en quelque sorte le chantage politique. Certains États fédéraux interdisent d'ailleurs explicitement le droit de sécession. C'est le cas de l'Australie, où la fédération est dite « indissoluble », ou encore celui des États-Unis, où elle est qualifiée d'« indestructible ». La Constitution canadienne, quant à elle, ne permet ni n'interdit la sécession d'un État membre.

Le Canada défend sur la scène internationale l'interprétation restrictive du droit à l'autodétermination, qu'on ne saurait reconnaître qu'aux peuples colonisés, victimes de discrimination et ne disposant pas d'un gouvernement représentatif. En posant ces balises, on veut soustraire à l'application de ce droit tous les États constitués qui englobent des peuples qui disposent d'institutions représentatives, comme c'est le cas du Québec. La doctrine canadienne prétend que, dans ces cas, le principe de l'intégrité territoriale de l'État existant l'emporterait sur le droit des peuples qu'il englobe à disposer d'eux-mêmes parce que, soi-disant, ces peuples ne souffrent pas d'oppression et qu'on leur reconnaît une égalité de droit avec les autres peuples coexistant dans l'État fédéral. Cette logique supposerait à tout le moins que l'existence de ces peuples soit reconnue, car on ne peut être égal aux autres que si on existe. Ainsi, en ne reconnaissant pas l'existence du peuple québécois, le Canada créerait une condition favorable à la reconnaissance internationale du droit de sécession du Québec. Si d'aventure Ottawa s'avisait d'imposer les conditions de la tenue d'un éventuel référendum, il contreviendrait aussi à son obligation de respecter l'autodétermination interne. Enfin, le Canada a reconnu l'indépendance de nouveaux États qui ont fait sécession.

Dans les faits, aucun régime politique n'est immuable et le droit à l'autonomie pouvant aller jusqu'à la sécession s'applique aussi aux fédérations, comme ce fut le cas quand Singapour quitta la Malaisie en 1965 ou, plus récemment, avec la désintégration des fédérations soviétique, tchécoslovaque et yougoslave.

Comme la plupart des constitutions ne prévoient pas la possibilité de faire sécession, toute sécession va donc à l'encontre de l'ordre constitutionnel et, de ce fait, transgresse la légalité. Cette question de la légalité d'une sécession est d'ordre théorique car, en pratique, la légalité découle de la réussite de la sécession. Le consentement de l'État fédéral à la sécession d'un de ses États membres n'est pas une condition nécessaire de la sécession, même si elle peut s'avérer souhaitable et utile, car on voit mal comment pourrait fonctionner une fédération qui s'ingénierait à refuser de reconnaître la volonté sécessionniste d'une partie importante de sa population, à moins d'utiliser la coercition. Si un État fédéral décidait d'empêcher par la force un peuple de faire sécession, il violerait de ce fait la règle du droit international qui interdit aux États de violer les droits de l'homme. Pour faire respecter sa légalité institutionnelle, un tel État fédéral se mettrait en dehors de la légalité internationale, ce qui justifierait la reconnaissance du droit à l'autodétermination du peuple dominé. Les États fédéraux peuvent utiliser la menace du recours à la force pour dissuader les mouvements sécessionnistes, mais encore là cette hostilité ne peut empêcher dans les faits un peuple déterminé de faire sécession en dépit des coûts humains et économiques que cela représenterait. La sécession est plus une question de détermination que de droit.

En dépit des controverses sur le droit à l'autodétermination, il faut d'abord retenir que la Charte des Nations Unies reconnaît le droit de tous les peuples à disposer d'eux-mêmes sans qualifier autrement leur situation. Toute interprétation restrictive rendrait quasi caduc le droit à l'autodétermination, car il n'y a pratiquement plus de peuples colonisés au sens de populations soumises à l'autorité d'une métropole étrangère. Enfin, depuis 1990, de nombreux États nouvellement indépendants ont été reconnus par les Nations unies même s'ils ont fait sécession, même s'ils n'étaient pas des peuples colonisés et même s'ils étaient englobés dans des États fédéraux et disposaient de structures politiques propres.

Selon Jacques Brossard[7], il y aurait huit conditions à remplir pour qu'un peuple exerce son droit de sécession :

1. Il doit constituer un peuple.
2. Il doit posséder une organisation politique, un « embryon de pouvoir politique ».
3. Il doit être concentré sur un territoire.
4. Il doit pouvoir former un État viable tant sur le plan démographique qu'économique.
5. Il doit s'engager à respecter les principes du droit international, ce qui implique le respect des droits de l'homme et des minorités.
6. Il doit préférablement avoir le consentement de l'État dont il veut se détacher.

7. S'il n'obtient pas ce consentement, il doit avoir des « motifs suffisants » pour passer outre ; ces motifs sont l'absence d'égalité de droits, l'existence d'une discrimination ou le refus de l'autodétermination sur le plan interne.
8. « Il pourra toutefois se séparer de l'État qui l'englobe si telle est la volonté clairement exprimée et nettement majoritaire de sa population. »

À propos de cette huitième condition, le juriste Daniel Turp fait remarquer qu'on ne trouve pas dans les pactes internationaux relatifs aux droits de l'homme de prescriptions concernant l'expression de cette volonté, ce qui tend « à confirmer que le droit international positif n'a pas à ce jour dessiné les contours de l'acte de volonté dont la nécessité est toutefois implicitement reconnue par les pactes[8] ».

En somme, il ne faut pas perdre de vue que le droit est une résultante et non un absolu. Pour Jacques Brossard, c'est l'efficacité qui consacre la légalité de l'accession à l'indépendance : « Quoi qu'il en soit, il importe relativement peu en pratique qu'un peuple possède ou non le droit indiscutable d'accéder à l'indépendance, du point de vue de certains États, s'il réussit à exercer en fait de façon efficace le droit qu'il prétend avoir[9]. »

Cette revue des principes juridiques relatifs au droit à l'autodétermination montre qu'il n'y a pas d'unanimité sur le sens et la portée qu'il faut attribuer à ce droit. Alors que plusieurs textes en affirment l'universalité, d'autres tentent d'en restreindre l'application aux peuples colonisés afin de protéger l'intégrité territoriale des États constitués. L'opposition entre partisans d'une définition restreinte ou d'une définition large se retrouve aussi parmi les philosophes et les politologues.

NOTES

1. Jean-François GUILHAUDIS, in *Le droit à l'autodétermination : actes du colloque international de Saint-Vincent*, 1979, p. 25.
2. Cité par Jacques Brossard, *L'accession à la souveraineté et le cas du Québec*, Montréal, Presses de l'Université de Montréal, 1976, p. 78.
3. *Ibid.*, p. 78
4. *Ibid.*, p. 100.
5. Cité par Théodore CHRISTAKIS, *Le droit à l'autodétermination en dehors des situations de décolonisation*, Paris, La Documentation française, 1999, p. 33.
6. *Ibid.*, p. 28.
7. Voir BROSSARD, *op. cit.*, p. 108-109.

8. Daniel TURP, « Le droit de sécession en droit international public et son application au cas du Québec », Montréal, Université de Montréal, thèse de maîtrise en droit, 1980, p. 288.
9. J. BROSSARD, *op. cit.*, p. 111.

LES THÉORIES DE LA SÉCESSION

L'accession à l'indépendance est une question de fait et non de droit.

Comme nous l'avons vu au chapitre précédent, l'exercice du droit à l'autodétermination suscite des interprétations contradictoires, les arguments des uns et des autres étant motivés soit par la volonté de conserver l'état de choses actuel, soit par la volonté de le changer. Il faut à cet égard rappeler que, derrière les débats théoriques, les intérêts des États ne sont jamais loin. Il s'agit en quelque sorte pour chaque école de pensée de soutenir la légitimité ou l'illégitimité des régimes établis ou des raisons de les changer. Il n'est donc pas étonnant de retrouver plusieurs théories de la sécession qui tentent de définir les motifs qui peuvent justifier une sécession et, ce faisant, de baliser les règles que la communauté internationale devrait suivre dans la reconnaissance de nouveaux États indépendants. Dans ce chapitre, nous examinerons quatre théories de la sécession : l'approche libérale, l'approche morale, l'approche du « calcul de légitimité » et enfin l'approche de l'effectivité.

La théorie libérale de la sécession

On qualifie cette approche de libérale pour deux raisons : d'abord parce qu'elle ne pose aucune restriction à l'accession à l'indépendance, si ce n'est le **consentement populaire**, et ensuite parce qu'elle s'inspire des principes fondamentaux de la théorie démocratique. Elle s'appuie sur un individualisme radical qui fait de la volonté individuelle le principe fondateur et organisateur des structures politiques, de sorte que la légitimité de tout gouvernement dépend du consentement des gouvernés. Un des représentants de ce courant, Robert McGee, explique ainsi cette position : « The only theory of secession entirely consistent with human liberty is that any group of individuals has the absolute right to secede any time they want for any reason they want[1]. » Seul le bien-être et la volonté des individus peuvent justifier l'existence d'un État. Les structures politiques n'ont pas de valeur en soi, elles sont subordonnées au consentement des individus, qui sont libres d'en changer selon leurs besoins. Il ne peut donc y avoir aucune limite théorique au droit de sécession.

Dans une version moins radicale, Harry Berran propose de reconnaître toute sécession lorsque celle-ci est possible en pratique : « [...] liberal political philosophy requires that secession be permitted if it is effectively desired by a territorially concentrated group within a state and is morally and pratically possible[2]. »

Son raisonnement découle de la théorie libérale de la démocratie selon laquelle c'est le peuple qui détient la souveraineté et qui crée les entités politiques. Si on admet que toute association politique doit être volontaire, dès lors, le produit de la volonté collective — en l'occurrence, l'État constitué — ne doit pas se retourner contre ses créateurs et entraver leur liberté politique. La règle de la majorité ne peut être utilisée pour brimer la volonté d'une minorité qui voudrait retirer son soutien et son consentement à la communauté politique qu'elle a contribué à créer. La liberté étant la valeur suprême du libéralisme, il est impossible de justifier le maintien autoritaire d'un groupe humain dans un système politique dont il veut se séparer. Accepter la position inverse signifierait accepter la « tyrannie de la majorité » et décréter que tous les membres de la communauté n'ont pas le même degré de liberté. Berran pense aussi qu'en vertu de la philosophie libérale un groupe peut toujours remettre en question son appartenance à une unité politique et qu'il ne saurait être lié par le consentement qu'il aurait pu donner dans le passé à son inclusion dans la communauté politique. L'appartenance nationale est révocable : « For in so freezing the status quo one generation, which exercised its freedom of choice, attempts to deprive later generations of the same freedom[3]. » Pour Berran, le droit de sécession est une extension du droit qu'ont les individus, dans la théorie libérale, de choisir leur nationalité par l'émigration. Lorsque ce droit est revendiqué collectivement, il s'applique au territoire où est concentré le groupe sécessionniste : « Liberalism must also grant that territorially concentrated groups can exercise their sovereignty, i.e. their moral right to determine their political relationships, through secession[4]. » Une sécession, pour être « pratiquement possible » et être reconnue comme légitime, doit remplir deux conditions essentielles :

1. Le groupe doit être suffisamment nombreux pour assumer les charges et les responsabilités d'un État souverain.
2. Le groupe sécessionniste doit reconnaître le même droit aux autres groupes qui se retrouveront à l'intérieur des frontières du nouvel État.

Si ces deux conditions sont remplies, il ne devrait pas y avoir d'obstacle à la sécession et celle-ci devrait être reconnue, même si ses justifications morales sont faibles. Il n'est pas nécessaire qu'un groupe soit victime d'oppression ou de discrimination pour justifier sa volonté de faire sécession, il suffit que cette revendication suscite une mobilisation suffisamment forte et durable de la population pour qu'elle soit acceptable. Un tel groupe qui exprime politiquement et de façon durable sa volonté sécessionniste a des motifs d'insatisfaction que l'État tutélaire n'a pas à juger. Cette attitude libérale est fondée sur le pragmatisme, car il est impossible d'établir une définition objective du degré d'oppression qui pourrait justifier une sécession. Berran répond ainsi d'avance aux arguments des théoriciens de l'approche morale.

La théorie « éthique » de la sécession

Cette approche, qu'on qualifie d'« éthique », se retrouve dans le livre d'Allen Buchanan intitulé *Secession : the Morality of Political Divorce from Fort Sumter to Lithuania and Quebec*, où il se propose d'analyser les conditions qui justifieraient moralement un groupe de faire sécession pour dégager les critères de reconnaissance que le droit international devrait appliquer en pareil cas. Buchanan ne discute pas des fondements philosophiques de la conception libérale de la sécession, il conteste son applicabilité dans la pratique du droit international. Il estime que la théorie libérale conduirait à la balkanisation et au désordre international et qu'il faut donc restreindre l'application du droit de sécession. Il s'oppose à l'idée que le fait de constituer un peuple d'un point de vue sociologique confère automatiquement le droit de sécession. Le droit de libre association politique ne justifie pas à ses yeux le droit de faire sécession.

Buchanan considère que le droit de sécession peut être accordé à un groupe seulement si ce groupe est victime d'injustices graves, et seulement si la sécession par elle-même permet de corriger ces injustices. La sécession est conçue ici comme un remède, un correctif aux traitements discriminatoires imposés par un État à une partie de sa population. Buchanan donne en exemple l'accession à l'indépendance des treize colonies américaines qui se sont séparées de la Grande-Bretagne afin de corriger une situation de discrimination où les colons étaient systématiquement désavantagés au profit de la métropole[5]. Mais si la sécession est moralement justifiée pour corriger une situation de redistribution discriminatoire, elle pourrait aussi devenir source d'injustice dans le cas où une région riche en ressources naturelles, par exemple, subissait un pillage systématique de la part d'un État central et décidait de se séparer pour profiter seule de ses richesses. Elle ne serait moralement acceptable pour Buchanan que si l'État sécessionniste acceptait de payer une taxe de sortie pour compenser les pertes encourues par l'ex-État tutélaire[6]. Il compare cette situation à celle d'un divorce où le mari est obligé de payer une pension alimentaire à son ex-épouse pour compenser les inconvénients de la séparation. Mais la logique du mariage ne correspond pas à celle des rapports de domination entre peuples et cet argument peut être contredit par un autre argument voulant que l'ex-État tutélaire ait suffisamment profité de sa politique d'exploitation pour qu'il ne soit pas juste de lui donner en plus une compensation. Pourquoi la domination et la surexploitation d'un territoire et d'une population devraient-elles mériter une prime compensatoire ?

Buchanan justifie sa position sur le plan philosophique en comparant le droit de sécession au droit de faire la révolution que Locke reconnaissait aux citoyens lorsque le gouvernement abusait de son pouvoir et commettait des injustices contre le peuple. Ainsi, la sécession est moralement justifiée dans les cas de tyrannie sélective pratiquée par un État envers une partie de sa population : « In both the case of revolution and that of secession, the right is understood as the right of persons subject to a political authority to defend themselves from serious injustices, as remedy of last resort[7]. »

Buchanan admet qu'il peut y avoir d'autres conditions particulières qui rendent moralement acceptable une sécession sans qu'il y ait une situation de grave injustice ; c'est le cas lorsque par exemple l'État englobant accorde le droit de sécession ou encore lorsque la constitution reconnaît explicitement ce droit. Mais hormis ces cas spéciaux, il ne peut y avoir de sécession acceptable que pour corriger des situations d'injustice flagrante lorsqu'un groupe est victime de génocide, que la survie physique de ses membres est menacée par l'action de l'État et qu'il y a violation des droits de l'homme, ou encore lorsque des territoires antérieurement souverains ont été occupés par la force, comme ce fut le cas des pays baltes de 1940 à 1990. À ses yeux, la persistance d'une différence culturelle et/ou linguistique n'est pas un motif suffisant pour justifier une sécession. En conséquence, lorsqu'un État ne viole pas les droits de la personne, lorsqu'il traite correctement ses minorités, leur reconnaît des droits civiques et ne leur impose pas de règles particulières, ces minorités ne devraient pas avoir le droit de faire sécession. Il estime que la communauté internationale ne devrait pas reconnaître la sécession d'un groupe lorsque celui-ci est englobé dans un État qui fonctionne bien, car les inconvénients seraient plus importants que les avantages non seulement pour l'État existant, mais aussi pour les individus. Le maintien de l'intégrité des États est préférable à la satisfaction des revendications sécessionnistes de groupes particuliers parce qu'elle assure la protection de la sécurité des individus, qu'elle préserve leurs droits et la stabilité de leurs attentes, alors que la sécession crée de l'incertitude et représente un risque pour les individus. La préservation de l'ordre établi est plus avantageuse que le changement. Dans cette logique, les minorités ont des droits civiques ; si elles sont insatisfaites de leurs conditions, elles ont la possibilité de s'engager plus activement dans le processus politique afin de faire valoir leurs revendications et d'obtenir plus de décentralisation politique. Dans le cadre des États de droit, le statu quo institutionnel est préférable au changement, les peuples subjugés devraient s'estimer heureux de pouvoir jouir des droits de l'homme.

Le critère de l'injustice peut difficilement faire consensus dans la mesure où il implique une évaluation et que toute évaluation est fonction d'intérêts ou de normes qui peuvent être elles-mêmes contestées. Au nom de quoi peut-on prétendre qu'un groupe n'est pas victime d'injustice, si celui-ci estime que sa situation est insatisfaisante et exige un correctif institutionnel ? Les notions de juste et d'injuste sont éminemment subjectives et la frontière qui les séparerait est impossible à tracer sans utiliser l'idéologie dominante comme valeur de référence.

La théorie du « calcul de légitimité »

Cette autre théorie postule qu'il n'y a pas de normes immuables qui permettent de juger de la légitimité d'une revendication séparatiste. Cette approche relativiste a été proposée par Lee Buchheit[8]. Cet auteur rejette la conception libérale qui préconise un droit illimité à la sécession, mais il conteste aussi la conception restrictive. Il préconise une approche pragmatique où la légitimité de chaque mouvement sécessionniste sera évaluée cas par cas, à partir de normes générales de légitimité qui tiennent compte tout autant des intérêts du groupe sécessionniste que de ceux de l'État englobant et de la communauté internationale.

Cette évaluation pragmatique doit reposer sur deux critères : les qualités intrinsèques de la revendication sécessionniste et ses effets perturbateurs sur la communauté internationale.

Parmi les critères les plus pertinents pour déterminer quelle est la valeur intrinsèque de la revendication sécessionniste, Lee Buchheit propose de juger de la valeur de la revendication sur le caractère distinctif du groupe qui se différencie culturellement des autres. Ce critère disqualifie les groupes qui voudraient faire sécession uniquement pour des motifs économiques. Ensuite, ce peuple doit être concentré territorialement. Il doit aussi faire la preuve que le nouvel État sera économiquement viable et politiquement cohérent. Selon Buchheit, ces conditions de viabilité et de cohésion n'impliquent nullement l'indépendance économique ou militaire.

Quant au critère des conséquences perturbatrices de la sécession, il est plus difficile à cerner empiriquement. Buchheit estime qu'une sécession ne doit être acceptée que si elle favorise « l'harmonie internationale générale ». Pour mesurer les bouleversements créés par une sécession, il faut tenir compte de ses effets économiques et stratégiques pour l'État préexistant. Il faut dans le calcul de légitimité prendre en considération les effets sur les autres États de la région. Une sécession qui ne respecterait pas les droits de l'homme risquerait de créer un problème de réfugiés qui pourrait menacer l'équilibre régional. Il faut enfin évaluer ses effets sur l'ordre international en général.

Selon Daniel Turp, cette approche propose une solution équilibrée parce qu'elle combine les aspects moraux et les conséquences pratiques de la sécession et qu'elle accorde un poids décisif au fait de constituer un peuple[9].

La théorie de l'effectivité

Les théoriciens de l'effectivité soutiennent que la sécession est une **question de fait** et non pas de droit. De ce point de vue, le droit international se limite à enregistrer le fait accompli. Le point de départ est un constat de vide juridique en matière de sécession, celle-ci n'étant ni permise ni prohibée. « Il n'y a rien en droit international qui prohibe la sécession et la formation de nouveaux États[10]. »

Les cinq juristes qui en 1991 ont rédigé, à la demande de l'Assemblée nationale du Québec, un avis sur l'intégrité territoriale du Québec dans l'hypothèse d'une accession à la souveraineté en viennent à la conclusion qu'il n'y a pas en droit international de droit de sécession général. Si tous les peuples ont le droit de disposer d'eux-mêmes, ce droit ne signifie pas nécessairement qu'ils peuvent faire sécession car ce droit n'est clairement reconnu qu'aux peuples colonisés. Mais si le Québec n'a pas de droit inhérent à la sécession parce qu'il ne forme pas un peuple colonisé, cela ne l'empêche nullement de réclamer et d'obtenir l'indépendance politique : « [...] il s'agit là d'une question de pur fait que le droit international ne fonde ni ne réprouve[11]. » Les autorités politiques canadiennes ne peuvent de leur côté invoquer le principe de l'intégrité territoriale pour faire obstacle à l'indépendance du Québec car, de l'avis des cinq juristes, ce principe est une norme exclusivement interétatique ; il ne concerne que les rapports entre États et non pas l'émergence de nouveaux États.

Les partisans de la théorie de l'effectivité reconnaissent aussi que la sécession est possible même lorsque le droit constitutionnel interne contient des règles interdisant la sécession, car le droit international est indifférent au droit interne. Selon Théodore Christakis, les dispositions constitutionnelles ou législatives des États en matière de sécession sont sans importance et n'ont pas d'effet juridique sur l'ordre international[12].

Les cinq juristes qui reconnaissent que le Québec ne peut réclamer le droit de sécession parce que celui-ci n'existe pas pour les peuples non colonisés soutiennent ce faisant que le silence du droit international ne peut nullement empêcher le Québec de revendiquer l'accession à l'indépendance, de l'obtenir ou de l'imposer : « L'effectivité de l'exercice des pouvoirs étatiques par les nouvelles autorités suffit à établir l'existence du nouvel État[13]. » L'effectivité, c'est la capacité exclusive d'un État de faire respecter ses juridictions et ses décisions sur un territoire donné. C'est la force des faits qui tranche en la matière et non le droit international qui se contente de prendre acte[14]. Chaque peuple peut tenter sa chance et accéder à l'indépendance, le droit viendra par la suite reconnaître la situation de fait. En vertu de cette logique du rapport de forces, l'attitude des États tiers face à l'accession à l'indépendance d'un nouvel État devient un élément de poids. Cette reconnaissance peut suffire à faire émerger un nouvel État, même si le test de l'effectivité du contrôle du territoire n'est pas concluant, comme cela s'est produit pour la Bosnie-Herzégovine[15]. Cette théorie de l'effectivité serait partagée par la majorité écrasante des juristes[16].

NOTES

1. R. McGEE et D. Kin-Kong LAM, « Hong Kong's Option to Secede » in *Symposium : Nationalism and Internationalism*, Harvard International Law Journal, vol. 33, n° 2, 1992, p. 431.
2. Harry BERRAN, « A Liberal Theory of Secession », *Political Studies*, vol. 32, 1984, p. 23. (Voir du même : *The Consent Theory of Political Obligation*, Londres, Croom Helm, 1987.) *Ibid.*, p. 23.
3. *Ibid.*, p. 25.
4. *Ibid.*, p. 26.
5. Allen BUCHANAN, *Secession*, Boulder, Westview Press, 1991, p. 45.
6. *Ibid.*, p. 133 et suiv.
7. Allen BUCHANAN, « Theories of Secession », *Philosophy and Public Affairs*, vol. 26, n° 1, 1997, p. 36.
8. Lee BUCHHEIT, *Secession : the Legitimacy of Self-Determination*, New Haven, Yale University Press, 1978.
9. Daniel TURP, « Le droit de sécession en droit international public et son application au cas du Québec », Montréal, Université de Montréal, thèse de maîtrise, 1979, p. 299.
10. R. HIGGINS, « Problems and Process », p. 125, cité par Théodore Christakis, *Le droit à l'autodétermination en dehors des situations de décolonisation*, Paris, La Documentation française, p. 76.
11. Thomas M. FRANCK, Rosalyn HIGGINS, Alain PELLET, Malcom N. SHAW, Christian TOMUSCHAT, « L'intégrité territoriale du Québec dans l'hypothèse de l'accession à la souveraineté », in *Les attributs d'un Québec souverain*, Commission d'étude des questions afférentes à l'accession du Québec à la souveraineté, Québec, Assemblée nationale du Québec, 1992, p. 425.
12. T. CHRISTAKIS, *op. cit.*, p. 76.
13. *Ibid.*, p. 429.
14. Voir *ibid.*, p. 430.
15. Voir *ibid.*, p. 98 et suiv.
16. *Ibid.*, p. 77.

7

LES FONDEMENTS HISTORIQUES DE L'INDÉPENDANTISME QUÉBÉCOIS

Le plus grand et le plus irrémédiable malheur pour un peuple, c'est d'être conquis.

ALEXIS DE TOCQUEVILLE[1].

L'analyse que nous avons faite des théories de la nation et de la sécession montre toute l'importance de l'histoire dans la définition des identités nationales et dans la volonté des peuples de se constituer en États nationaux. Les références à l'histoire servent à légitimer l'existence des peuples et leurs aspirations à l'indépendance politique. Le passé sert à baliser le sens de l'appartenance et à en assurer la persistance. Si la nation ne peut se passer de mythe fondateur, sa genèse et son développement ne sont pas que mythiques. Ils sont tissés d'événements médiatisés par des discours interprétatifs et intériorisés par la conscience collective.

Dans ce chapitre, nous tenterons de reconstituer l'évolution du nationalisme québécois et de remonter aux sources de la crise politique canadienne. Nous tenterons de répondre à la question suivante : pourquoi y a-t-il un problème national au Canada ? Nous verrons comment les débats d'aujourd'hui renvoient aux contradictions non résolues dans le passé, comment le contenu du nationalisme peut varier selon les conjonctures historiques et pourquoi, depuis plus de deux siècles, les Québécois manifestent un attachement plus grand envers les institutions politiques québécoises qu'envers les institutions politiques canadiennes.

Si le nationalisme est une constante dans l'histoire politique du Québec, il ne s'est pas toujours manifesté de la même façon. Cette idéologie a pris différentes formes et s'est greffée à plusieurs idéologies globales. Le tableau synoptique suivant résume l'évolution du nationalisme au Québec.

ÉVOLUTION DU NATIONALISME AU QUÉBEC

Période	Projet	Identité	Idéologie
1791-1840	libération	canadienne	démocratique
1840-1950	conservation	canadienne-française	cléricale
depuis 1950	modernisation	québécoise	social-démocrate

La période actuelle se caractérise par la coexistence de ces trois formes de nationalisme qui se concurrencent pour l'obtention du soutien populaire.

Les effets de la « Conquête* »

L'interprétation des effets de la « Conquête », ou de la défaite militaire de 1759, a toujours été un enjeu politique et a suscité de nombreux débats. Même aujourd'hui, on explique les attitudes des Québécois envers le Canada et des Canadiens envers le Québec comme un relent de cet événement qui aurait façonné le destin des deux communautés linguistiques. Cette empreinte laissée sur la psychologie collective se manifesterait chez les francophones par une volonté d'effacer les rapports d'inégalité politique qu'elle a engendrés[2] et chez les anglophones par le refus de reconnaître le peuple québécois[3]. Enfin, certains politiciens canadiens aimeraient bien qu'on oublie la Conquête pour construire une nouvelle identité canadienne.

* Nous mettons ce terme entre guillemets pour souligner son emploi paradoxal par les historiens qui semblent intérioriser la vision de l'autre, puisque, habituellement, c'est le vainqueur qui parle de conquête et non le vaincu. Cet usage exprime un des effets idéologiques du colonialisme.

Mais avant d'aborder l'analyse des effets de la « Conquête », une question se pose : y avait-il une identité canadienne avant la Conquête ?

Le nationalisme sous le régime français n'était qu'embryonnaire, mais on peut observer dans les récits de voyage et les rapports des administrateurs coloniaux français l'**émergence d'une identité** particulière, dans la mesure où les Canadiens avaient tendance à se percevoir et à se définir comme différents des Français. Des facteurs objectifs structurent cette conscience identitaire, car il y a alors en Nouvelle-France communauté de langue, de religion et d'histoire. Contrairement à la France, il y a homogénéité linguistique en Nouvelle-France où le français de l'Île-de-France s'est imposé comme langue vernaculaire, alors qu'en France même cette langue n'était pas parlée sur l'ensemble du territoire et était concurrencée par divers « patois ». Il y a aussi homogénéité religieuse car les protestants ne pouvaient s'établir en Nouvelle-France. Au XVIIIe siècle, hormis les élites politiques et militaires, la population ne connaît rien de la France, elle n'y a jamais vécu et n'y a plus d'attaches familiales. Enfin, les rapports avec la nature et les contacts avec les Amérindiens ont développé un mode de vie spécifique. Les habitants de la Nouvelle-France vont donc se définir eux-mêmes comme Canadiens et non comme Français. Bougainville dira, à la fin du régime français, en parlant des Canadiens : « Il semble que nous soyons des nations différentes et même ennemies[4]. »

Ces différences identitaires se manifesteront par des conflits entre les coloniaux et les habitants sur les stratégies militaires à employer contre les Anglais. Les généraux français préconisaient la bataille en rangées, comme cela se pratiquait sur les champs de bataille européens. Les Canadiens pour leur part avaient appris des Amérindiens la stratégie de l'embuscade. Leur mot d'ordre était : « Chaque homme prend son arbre. » C'est sur ces différences stratégiques que s'opposeront Montcalm et le gouverneur canadien Vaudreuil, le premier conduisant ses troupes à la défaite des Plaines d'Abraham, le second continuant la résistance en espérant voir arriver des renforts de France.

L'historiographie québécoise se divise sur l'analyse des conséquences de la défaite militaire et du changement de métropole coloniale après 1760. L'historiographie traditionnelle, inspirée par la position de collaboration de l'Église avec le conquérant, a soutenu que la « Conquête » avait eu des effets bénéfiques pour la population canadienne dans la mesure où elle avait protégé la colonie des affres de la Révolution française et assuré à l'Église son pouvoir spirituel et temporel. Par la suite, les historiens de l'École de Québec soutiendront que la « Conquête » n'aurait pas eu d'effets significatifs sur le développement économique et les structures sociales et politiques de la colonie, mais qu'elle aurait procuré aux Canadiens les bienfaits de la croissance économique et la jouissance d'institutions démocratiques. Fernand Ouellet et Jean Hamelin[5] soutiennent qu'il n'y avait pas de bourgeoisie en Nouvelle-France et qu'il n'y avait pas possibilité d'accumuler le capital commercial indispensable au développement d'une économie capitaliste. La domination de la noblesse et de l'idéologie féodale empêchait l'émergence d'une classe économique capable de développer l'économie du Canada. C'est grâce à la « Conquête », qui permet l'arrivée d'entrepreneurs capitalistes, que le Canada pourra se développer économiquement. Ainsi, la situation d'infériorité économique où se retrouveront les Canadiens français ne résulterait pas de la colonisation britannique, mais du traditionalisme de la société canadienne. Cette interprétation avalise en quelque sorte le pouvoir du colonisateur britannique sur la population d'origine française.

Mais une autre interprétation verra le jour à la faculté d'histoire de l'Université de Montréal, autour de Guy Frégault, Maurice Séguin et Michel Brunet. Ils s'accordent avec leurs homologues de Québec pour dire que la « Conquête » n'a pas eu d'effets sur la structure économique interne de la colonie, c'est-à-dire que l'économie reste fondée, avant comme après, sur le même produit principal, les fourrures, et les mêmes produits secondaires, le blé et le poisson. Le système politique ne change pas, c'est toujours avant comme après un régime monarchique concrétisé par un État militaire et dirigiste. Mais la « Conquête » va entraîner un changement majeur dans les relations économiques externes de la colonie, changement qui va à son tour bouleverser la structure sociale de la colonie. Pour les historiens de l'École de Montréal, la « Conquête » a pour effet de décapiter la société canadienne de son élite et de transférer le pouvoir économique et politique à l'aristocratie et à la bourgeoisie marchande anglaises. Ils pensent que, n'eût été de la « Conquête », la société canadienne aurait connu un développement normal qui l'aurait conduite à son indépendance politique, comme ce fut le cas pour toutes les colonies européennes établies dans les Amériques du Nord et du Sud[6]. Mais la société canadienne sera entravée dans la maîtrise de son destin par le sort des armes.

Pour étayer leur thèse, ils avancent les arguments suivants. Selon Michel Brunet, le changement de métropole consécutif à la « Conquête » brise les liens commerciaux des marchands canadiens qui sont incapables de recevoir les marchandises qu'ils avaient commandées avant la fin de la guerre, qui sont privés de leurs anciennes sources d'approvisionnement et de leurs sources de crédit et qui n'ont plus de débouchés pour leurs produits, puisqu'ils n'ont pas de contacts dans le système financier et commercial de la nouvelle métropole[7]. La bourgeoisie coloniale canadienne sera aussi affectée par la perte des postes de traite qui seront dorénavant concédés aux marchands anglais. Enfin, ils perdront les contrats de fourniture et de construction de l'État colonial, qui seront accordés à des ressortissants britanniques.

Ruinés, dépossédés de leurs réseaux économiques, exclus des postes de l'administration coloniale, les membres de l'élite canadienne devront se résigner à la sous-traitance ou à trouver refuge en France. Ceux qui restent devront abandonner les secteurs les plus lucratifs et se replier sur l'agriculture, le territoire des seigneuries étant leur seule base de subsistance. Avec la « Conquête », les Canadiens perdent le contrôle du territoire et de ses ressources, du système économique et des institutions politiques. Au Canada comme ailleurs, les Britanniques n'ont pas mené une guerre de conquête pour remettre le pouvoir aux conquis.

Ainsi l'effet de la « Conquête » est-il d'engendrer la formation de deux structures sociales superposées et différenciées par la **nationalité** et par leur rôle respectif dans la **structure économique.** L'une est centrée sur l'échange marchand et l'autre sur la production de subsistance. De 1760 à 1791 se met donc en place une structure de pouvoir conflictuelle qui allait opposer pendant un demi-siècle une oligarchie bureaucratique, alliée à la bourgeoisie marchande de nationalité britannique, à la petite bourgeoise canadienne, soutenue par l'immense majorité de la population rurale.

Cette double structure économique et sociale aura aussi des répercussions sur le développement des idéologies, en suscitant un phénomène de distorsion idéologique qui prendra toute son ampleur dans la première moitié du XIXe siècle. Alors qu'en Europe et en Amérique latine les bourgeoisies se faisaient les porte-étendards du nationalisme[8] et de la démocratie politique, au Canada la bourgeoisie marchande anglaise ne pourra pas adhérer aux canons du libéralisme politique. Dans le contexte colonial, il y avait pour cette classe une contradiction insoluble entre, d'une part, ses aspirations au contrôle de l'appareil d'État par l'établissement de la démocratie politique et, d'autre part, les fondements matériels de sa position de classe, qui dépendait de la domination coloniale. Tant et aussi longtemps que la population canadienne sera majoritaire, la bourgeoisie s'opposera à l'établissement de la démocratie libérale et préférera soutenir le régime aristocratique. Démocratie et colonialisme étaient incompatibles, car cela aurait signifié que les vaincus d'hier auraient repris le contrôle du Canada par la force du nombre. L'histoire politique canadienne montre qu'il y a une corrélation entre la reconnaissance des droits démocratiques et l'affaiblissement démographique des Canadiens d'origine française. Deux faits illustrent cette logique. En 1791, avec l'arrivée des Loyalistes qui se regroupent dans le Haut-Canada où il n'y a pas de Canadiens, Londres accorde une nouvelle constitution qui divise le Canada en deux colonies et instaure une assemblée représentative dans chaque colonie. Mais comme les Canadiens sont très majoritaires dans le Bas-Canada, on ne reconnaît pas le principe du **gouvernement responsable** qui annulerait la suprématie des Britanniques. Lorsque les francophones deviendront minoritaires dans le cadre du Canada-Uni, Londres acceptera en 1846 de reconnaître le gouvernement responsable.

De même, la bourgeoisie canadienne ne sera jamais nationaliste et ne revendiquera pas l'indépendance du Canada, car sa prospérité était dépendante des marchés extérieurs et de son appartenance à l'Empire britannique. Contrairement aux autres bourgeoisies coloniales, il lui répugnera de rompre le lien colonial. Le sentiment d'appartenance des Canadiens anglais se définira beaucoup plus par rapport à l'Empire que par rapport au Canada, tant et aussi longtemps que l'Empire durera. Il est symptomatique de constater que jusqu'en 1965 le Canada n'avait pas de drapeau distinctif et que c'était le drapeau de la marine britannique, le *Red Ensign*, qui lui tenait lieu de symbole national.

Cet effet de distorsion affectera aussi le rôle que la petite bourgeoisie canadienne-française sera appelée à jouer en substitution à la bourgeoisie marchande. Dans le cadre de la double structure de classes qui s'instaure avec le régime anglais, les francophones membres des professions libérales assumeront le leadership de la société dominée et entreront en conflit avec le clergé et la classe seigneuriale francophones qui, pour protéger leurs intérêts, ont fait alliance avec le colonisateur. Cette élite qui dans les autres sociétés joue un rôle subordonné sera le fer de lance de l'idéologie libérale et du nationalisme de libération. Elle réclame des institutions démocratiques et républicaines, le gouvernement responsable, la rupture du lien colonial et la laïcisation de la société. Au sein de cette structure coloniale, ses membres sont exclus du pouvoir économique et politique, ils feront alors alliance avec la classe agricole dont ils sont issus et ils s'opposeront aux intérêts de la bourgeoisie marchande. Il y aura ainsi une greffe réussie entre la lutte sociale et la lutte nationale, mais au Canada, contrairement à ce qui s'est passé ailleurs du fait de la situation coloniale, l'idéologie libérale se trouvera dissociée de sa raison d'être économique : le développement du commerce.

NOTES

1. Alexis DE TOCQUEVILLE, *Voyages en Sicile et aux États-Unis*, cité par Guy BOUTHILLIER et Jean MEYNAUD, *Le choc des langues : 1760-1960*, Montréal, Presses de l'Université de Montréal, 1971, p. 116.
2. Voir Éric SCHWIMMER, *Le syndrome des Plaines d'Abraham*, Montréal, Boréal, 1995.
3. Voir Christian DUFOUR, *La rupture tranquille*, Montréal, Boréal, 1992.
4. Cité par Guy FRÉGAULT, *La civilisation de la Nouvelle-France*, Montréal, Éditions Pascal, 1944, p. 212.
5. Fernand OUELLET, *Le Bas-Canada : 1791-1840*, Ottawa, Presses de l'Université d'Ottawa, 1976 ; Jean HAMELIN, *Économie et société en Nouvelle-France*, Québec, Presses de l'Université Laval, 1960.
6. Voir Maurice SÉGUIN, *Une histoire du Québec*, Montréal, Guérin, 1995, p. 4.
7. Michel BRUNET, *La présence anglaise et les Canadiens*, Montréal, Beauchemin, 1958, p. 66.
8. Voir Boyd SHAFER, *Le nationalisme*, Paris, Payot, 1964, p. 96.

LE NATIONALISME DE LIBÉRATION

Les Canadiens n'ont pas de préjugés nationaux.

La Minerve, 19 juillet 1827.

Trois conditions présideront à la naissance du nationalisme de libération : l'instauration d'un système politique représentatif, l'apparition d'une classe porte-étendard, un contexte international favorable.

La guerre de l'indépendance américaine et l'arrivée au Canada des Loyalistes força Londres à modifier la constitution de sa colonie au nord des États-Unis. Il fallait satisfaire les exigences des nouveaux arrivants qui ne voulaient pas perdre les droits politiques qu'ils avaient dans les colonies du Sud. Ces nouveaux venus s'installèrent principalement sur les rives nord des lacs Ontario et Érié. Ils n'étaient pas demeurés loyaux à Sa Majesté pour se retrouver dans une colonie où ils seraient soumis au droit civil français et au système seigneurial, qui avaient été concédés par Londres en 1774, précisément pour s'assurer de la loyauté des Canadiens devant les visées des révolutionnaires américains. Les Loyalistes voulaient avoir le droit d'élire leurs représentants tout comme leurs compatriotes de la métropole et des colonies américaines. Ces revendications s'ajoutèrent aux pressions des marchands anglais, concentrés à Montréal, qui voulaient, eux aussi, profiter d'une Chambre d'assemblée pour promouvoir les intérêts du commerce. Mais pour acquiescer à ces demandes légitimes, Londres devait reconnaître les mêmes droits à tous les habitants du Canada, ce qui aurait signifié perdre le contrôle de sa colonie aux mains des conquis d'hier, qui formaient 90 % de la population. En ne reconnaissant pas des droits égaux aux Canadiens, Londres s'exposait à leur désobéissance et risquait de perdre sa colonie dans l'éventualité d'une invasion des troupes américaines, comme celle qui se produira en 1812. Par calcul stratégique, le Colonial Office concoctera un compromis qui reflète les contradictions de la situation coloniale. En attendant que les effets de l'immigration britannique massive et de la politique d'assimilation des francophones se concrétisent et afin d'empêcher la majorité francophone de prendre le contrôle de la colonie, on la divisa en deux : le Haut-Canada, où vivait une population majoritairement d'origine britannique, et le Bas-Canada, où vivait la population canadienne. Mais pour éviter qu'au Bas-Canada le pouvoir politique ne tombe tout entier entre les mains des Canadiens, Londres accorda une assemblée représentative à chaque colonie, mais sans reconnaître le principe du gouvernement responsable, de telle sorte que les membres du Conseil exécutif seraient choisis et nommés indépendamment de l'assemblée élue. Cette restriction préservait en fait le pouvoir de l'oligarchie bureaucratique et de la bourgeoisie marchande anglaise. On avait créé un système hybride qui allait être source de conflit permanent entre le pouvoir législatif et le pouvoir exécutif.

La nouvelle constitution accorde le droit de vote à presque tous les propriétaires de terres, en fixant un cens électoral très faible (deux livres de revenus annuels), ce qui permettait aux femmes chefs de famille de participer au vote. Le vote paysan prend dès lors une importance stratégique et fournira une assise sociale à la montée d'une nouvelle classe : la petite bourgeoisie francophone.

Cette classe est formée de « professionnels » : médecins, notaires, avocats, qui, pour la plupart, sont fils d'agriculteurs qui ont fait instruire un de leurs garçons dans les collèges qui ont été créés à la suite de l'arrivée des prêtres réfractaires chassés par la Révolution française. Cette nouvelle élite scolarisée est entravée dans ses aspirations à la mobilité sociale car, en raison de son origine, elle est exclue des postes dans l'armée, dans le génie, dans la fonction publique et dans le commerce, qui sont les chasses gardées de la population anglophone. Son statut social sera objectivement lié aux intérêts de la paysannerie qui constitue pour l'essentiel sa clientèle. Comme il y aura engorgement des professions libérales et qu'elle sera menacée par la crise agricole qui affecte sa clientèle, cette classe de jeunes professionnels trouvera dans la politique un débouché où elle pourra exercer ses talents au service du peuple. En raison de la convergence de ses intérêts et de ceux de la majorité de la population, elle deviendra la classe dominante de la société canadienne. Elle cherchera à s'emparer du pouvoir politique en s'appuyant électoralement sur le peuple, elle donnera naissance au nationalisme de libération et elle créera des journaux pour diffuser son idéologie.

L'apparition du nationalisme de libération sera favorisée par le contexte international. Il faut d'abord rappeler que le XIXe siècle est en Europe et en Amérique latine fertile en mouvements de libération nationale qui s'inscrivent dans la continuité de la Révolution française en affirmant le droit des peuples à se gouverner eux-mêmes. De 1804 à 1830, le principe des nationalités est très en vogue et fait partie de l'idéologie libérale. Les Grecs, les Serbes et les Belges obtiennent l'indépendance politique, tandis que les Italiens et les Polonais échouent dans leurs tentatives. Dans les années 1820, en Amérique latine, les colonies portugaises et espagnoles accèdent à tour de rôle à l'indépendance : le Brésil en 1822, la Bolivie en 1825, l'Uruguay en 1828. Ces divers mouvements de libération nationale ont une influence sur la pensée des Patriotes, comme en témoigne cette évocation de Louis-Joseph Papineau : « Dans ce moment que le principe démocratique étend ses ramifications sur toute la face de l'Europe, resterons-nous stationnaires[1] ? »

Premiers affrontements politiques et linguistiques

Le nationalisme des Canadiens au début du XIXe siècle se manifestera principalement dans les luttes parlementaires. La logique de la représentation allait rendre politiquement significatives les différences linguistiques, car l'élection des députés reflétera les rapports de force linguistiques et donnera forcément la majorité en Chambre aux représentants des comtés francophones*. Les anglophones seront fortement surreprésentés puisqu'ils obtiendront 32 % des sièges tout en ne formant que 7 % de la population.

* La première députation comprendra 34 députés francophones et 16 députés anglophones.

Les premières escarmouches politiques à l'Assemblée législative indiquent que les allégeances politiques allaient se construire sur les différences sociales et sur les différences linguistiques. Les députés francophones représentant les comtés ruraux formeront le Parti canadien et s'opposeront aux projets soutenus par les députés anglophones représentant les marchands des villes. Un conflit de nature sociale allait se traduire en un conflit de nationalités. Pour illustrer cette dynamique conflictuelle qui conduira aux soulèvements populaires de 1837-1838, nous avons retenu une série d'enjeux : le choix de la langue des délibérations à l'Assemblée législative, la politique d'immigration, le financement de la canalisation des voies de communication, le projet d'Union et ce qu'on a appelé la guerre des subsides.

La Constitution de 1791 était muette au chapitre des langues, mais cette question fut soulevée, dès l'inauguration du parlement, lorsqu'il fallut choisir un président d'assemblée et décider de la **langue des débats**. Le choix de l'orateur dessina les lignes de clivage entre les membres de l'Assemblée : les députés francophones, à deux exceptions près, se rangèrent derrière la candidature de Jean-Antoine Panet et les députés anglophones derrière celle de William Grant. Ils soutenaient ce choix en arguant que ce poste exigeait de son titulaire qu'il parle la langue du souverain[2]. Mais la logique coloniale fut mise en échec par la loi du nombre qui donna le poste à Panet.

Les représentants anglais proposèrent à la session de 1793 l'usage exclusif de l'anglais dans les débats parlementaires. Le député Richardson justifiait ainsi sa position : « Il est incontestable que l'unité de langage légal dans tout l'Empire est un principe fondamental, une maxime sage et politique, d'une utilité indispensable pour conserver la souveraineté de la mère-patrie[3]… »

Sa Majesté ne pouvait pas, disait-on, ratifier un acte législatif dans une autre langue que la sienne. Mais la majorité ne partageant pas ce point de vue, il fallut trouver une solution de compromis pour l'adoption des règles de procédure de l'Assemblée : on décida de publier les procès-verbaux dans les deux langues, d'employer l'anglais ou le français dans la rédaction des lois et de faire traduire les lois rédigées en français pour les faire ratifier par le gouverneur. Selon Danielle Noël, la langue française ne fut reconnue que comme langue de traduction, « elle n'était pas sur le même pied que la langue anglaise[4] ». Pour les Britanniques, il est dans l'ordre des choses qu'une population conquise se soumette aux règles du vainqueur.

Les Canadiens défendent alors le français, non pas parce qu'ils veulent en faire une langue hégémonique, mais parce qu'ils doivent résister aux pressions de la bourgeoisie marchande qui, elle, veut imposer la domination absolue de l'anglais. Comme ils avaient besoin de faire venir des immigrants pour soutenir leurs entreprises de colonisation et d'exploitation du territoire, ils devaient assurer les nouveaux venus qu'ils trouveraient au Canada un milieu de vie comparable à celui de la Grande-Bretagne. Cela allait sans difficulté dans le Haut-Canada, où la population était linguistiquement homogène, mais pas au Bas-Canada, où la majorité était de langue, de religion et de tradition fort différentes de celles de la métropole. D'où la nécessité d'une assimilation rapide des Canadiens, conviction qui obsédait les marchands de Montréal. Le *Mercury* du 27 octobre 1806 réagit ainsi à la création du journal *Le Canadien* : « Cette province est déjà beaucoup trop française pour une colonie anglaise. La défranciser autant que possible, si je peux me servir de cette expression, doit être notre premier but[5]. »

Afin d'angliciser la colonie, ils voudront instaurer un système d'éducation, appelé le « Royal Institution for the Advancement of Learning », contrôlé entièrement par les autorités anglaises. Le secrétaire du gouverneur expliquait en ces termes l'objectif poursuivi : « Cette mesure serait un instrument extrêmement puissant pour accroître le pouvoir exécutif et modifier graduellement les sentiments politiques et religieux des Canadiens français[6]. » Mais ce projet restera lettre morte.

Les marchands anglais soutenaient une politique d'**immigration massive** afin de peupler les Cantons de l'Est et le territoire du Haut-Canada, de se procurer une main-d'œuvre à bon marché pour les grands projets de construction des canaux et pour réduire la prépondérance démographique et politique des Canadiens. Entre 1830 et 1837, plus de 217 000 Britanniques viennent s'établir au Canada. Pour la plupart, ces immigrants sont des Irlandais qui fuient les famines de leur pays et qui arrivent au Canada dans des « bateaux cercueils » où les conditions de transport sont tellement déplorables qu'elles provoquent des épidémies de choléra là où ils débarquent. L'Assemblée tente de s'opposer à cette arrivée massive d'immigrants en refusant de financer la construction des routes dans les Cantons de l'Est et en s'opposant au débarquement dans le port de Québec. Mais elle est incapable d'enrayer ce processus, car la politique de l'immigration est décidée par le pouvoir colonial.

En raison de l'achèvement du canal Champlain en 1822 et des progrès du canal Érié qui menaçait l'hégémonie commerciale des marchands anglais de Montréal au profit des capitalistes américains, il devenait urgent pour la bourgeoisie montréalaise d'ouvrir des **voies de communication** avec le Haut-Canada et de créer ainsi une unité commerciale pancanadienne. Il fallait entreprendre la canalisation du Saint-Laurent en construisant le canal Welland et le canal Lachine. Pour ce faire, les marchands comptaient bien se servir des ressources publiques et utiliser les revenus de l'Assemblée. Mais la députation canadienne-française n'était pas du même avis concernant l'orientation du développement économique. Elle fut réticente à délier les cordons de sa bourse pour financer ce projet avec l'argent du peuple. Cette situation était d'autant plus frustrante pour la bourgeoisie anglaise de Montréal que l'Assemblée du Haut-Canada avait accepté de financer ces travaux et avait commencé la canalisation de sa partie du canal.

La bourgeoisie marchande tentera d'atteindre ses ambitions hégémoniques en proposant un **projet d'Union** en 1822. L'« Union Bill » fut proposé au Parlement de Londres par Edward Ellice avec l'appui de ses amis montréalais Richardson, Grant et Molson. Dans une pétition de citoyens anglais, en appui à ce projet on peut trouver un bel exemple de logique « suprématiste » :

> L'influence qu'aurait l'union sur l'anglicisation du Bas-Canada a été le principal argument des Canadiens français pour s'opposer à son adoption et, au nom de prétentions fallacieuses, ils essaieraient d'amplifier les inconvénients qu'ils subiraient d'un changement qui se produirait dans leur langue, leurs manières et leurs habitudes. Personne ne peut douter des bénéfices qui résulteraient de ce changement même pour les Canadiens français[7].

Ce projet stipulait que la langue anglaise serait la langue officielle et qu'il y aurait une seule Assemblée où les Anglais seraient majoritaires. Le projet prévoyait qu'il y aurait un seul conseil législatif et une seule Assemblée, où le Haut-Canada serait représenté par 40 députés et le Bas-Canada par 50, ce qui devait assurer la majorité aux représentants des circonscriptions anglophones. Cette répartition faussait la représentation selon la population puisque la population du Bas-Canada était de 600 000, alors que celle du Haut-Canada n'était que de 400 000. De plus, pour réduire l'influence politique des francophones, on suggérait d'augmenter le cens électoral à 500 livres.

L'Union aurait aussi permis de dénouer la crise des finances publiques, car l'administration coloniale était en faillite, elle accumulait déficit sur déficit. De son côté, l'Assemblée, qui a le pouvoir de lever des impôts et qui a des surplus budgétaires, refuse de lever de nouveaux impôts. L'Union permettrait de payer la dette du Haut-Canada avec les surplus du Bas-Canada et de financer la construction des canaux nécessaires au développement du commerce. Ce projet souleva une vive indignation dans la population canadienne et fut dénoncé par une pétition qui recueillit 60 000 signatures. Dans une lettre circulaire datée du 10 décembre 1822, écrite au nom du Comité constitutionnel de Montréal, Jacques Viger dénonçait les visées des marchands anglais qui voulaient « une constitution d'après laquelle le très petit nombre doit maîtriser le très grand nombre, parce que le très petit nombre veut nous regarder comme étrangers dans le pays de notre naissance[8] ». Londres jugea donc cette initiative prématurée, mais se servit de cette idée d'union du Haut et du Bas-Canada en 1840 pour éliminer la résistance des Canadiens à la domination britannique.

Le **contrôle des impôts** a toujours été un enjeu dans la vie politique canadienne. Selon l'Acte constitutionnel de 1791, le conseil exécutif n'était pas responsable de ses dépenses devant les représentants du peuple, ce qui était contraire à la pratique démocratique. Par ailleurs, cette constitution accordait à la seule Assemblée législative le pouvoir de lever de nouvelles taxes. Le gouvernement colonial finançait ses dépenses grâce aux revenus impériaux (lods et ventes, services), aux amendes, aux ventes de licences et aux droits de douanes. Mais, dès 1794, ces revenus ne suffisaient plus à couvrir les dépenses de la colonie. Le gouverneur devait donc demander à l'Assemblée de lever de nouveaux impôts pour financer l'administration coloniale et payer les salaires des fonctionnaires. Comme la plupart de ces postes allaient à des Britanniques, les députés comprirent rapidement que leur intérêt était de contrôler eux-mêmes l'utilisation des fonds publics. Dès 1810, l'Assemblée refuse de financer le Conseil exécutif sans obtenir en contrepartie le pouvoir de contrôler les dépenses gouvernementales.

Devant l'impasse constitutionnelle, Londres accepte pour un temps de financer les dépenses de la colonie. Cependant, en 1817, le gouvernement du Bas-Canada a accumulé un déficit de 120 000 livres, alors que l'Assemblée dispose de surplus considérables. Puisque l'Angleterre n'accepte plus de couvrir les déficits, le gouverneur devient le débiteur de l'Assemblée qui exige pour les prêts qu'elle accorde au gouvernement de pouvoir contrôler annuellement et en détail les dépenses effectuées pour les travaux publics et pour payer les fonctionnaires. Cette exigence est le fondement même du gouvernement responsable et de la démocratie : pas de taxation sans représentation et les représentants élus ont pour mandat de contrôler les actions du Conseil exécutif. Cette logique, en situation coloniale, mettait en cause les privilèges de la minorité coloniale anglaise et de l'oligarchie bureaucratique qui monopolisaient les contrats lucratifs et les postes rémunérateurs. La démocratie était incompatible avec la domination coloniale.

Tant que Londres refusa d'accorder le gouvernement responsable, les élus du peuple refusèrent de voter les subsides nécessaires au fonctionnement de l'administration. L'enjeu de cette querelle était de faire accepter la suprématie des élus du peuple sur les administrateurs désignés par un pouvoir étranger. Dans le contexte du Bas-Canada, cette revendication démocratique impliquait une révolution nationale, car elle entraînait la reconquête du pouvoir politique par les Canadiens. Avec le gouvernement responsable, le Bas-Canada aurait été administré par les vaincus de 1759. Cette guerre des subsides montre comment les aspirations démocratiques ont servi de terreau au développement d'une conscience nationale et à l'affirmation politique du peuple canadien qui exprimera dans les 92 Résolutions sa volonté d'émancipation nationale.

Les 92 Résolutions

L'idée d'indépendance politique du Bas-Canada comme solution aux dysfonctionnements de la colonie se profilera dans les 92 Résolutions, adoptées à l'Assemblée législative par 56 voix contre 23, à la session de 1834. Elles étaient fortement soutenues par la population car, aux élections de 1834, les députés canadiens-français qui s'y étaient opposés furent battus. Le Parti patriote recueillit alors 95 % des suffrages. Avant d'être présentées à Londres, les 92 Résolutions furent contresignées par 80 000 personnes.

Ce manifeste consigne les principales revendications du Parti patriote et illustre les liens entre le nationalisme et l'idéologie démocratique. Il fut rédigé par Louis-Joseph Papineau, Auguste-Norbert Morin et Étienne Bédard. Ce document peut se comparer aux cahiers de doléances et aux déclarations de principes qui annoncèrent les Révolutions française et américaine. Les Patriotes canadiens y affirment leur opposition au régime aristocratique et leur désir d'autodétermination par l'établissement d'une véritable démocratie parlementaire.

Les résolutions dénoncent la tyrannie et les abus de pouvoir du Conseil exécutif qui pratique le favoritisme et le cumul des charges. On s'élève **contre la discrimination** dont sont victimes les Canadiens dans la fonction publique où ils n'occupent que 47 postes sur 204. On demande la reconnaissance des droits civiques pour la communauté juive*, de même que pour les autochtones. On exige de rendre le Conseil législatif électif. On réclame pour l'Assemblée le pouvoir de contrôler les budgets et pour le peuple le pouvoir de modifier la constitution. Pour les Patriotes, c'était l'Assemblée élue qui devait devenir le centre de décision de la nation. On y affirme aussi la fierté de ses origines françaises :

> La majorité des habitants de ce pays n'est nullement disposée à répudier aucun des avantages qu'elle tire de son origine et de sa descendance de la nation française qui, sous le rapport des progrès qu'elle a fait faire à la civilisation, aux sciences, aux lettres et aux arts n'a jamais été en arrière de la nation britannique, et qui, aujourd'hui, dans la cause de la liberté et de la science du gouvernement est sa digne émule[9].

Les Patriotes concluent en menaçant la métropole de rompre le lien colonial et de faire l'indépendance si celle-ci ne leur accorde pas les droits démocratiques. En fait, la démocratisation des institutions politiques signifiait le renversement du pouvoir de la bourgeoisie marchande et de son alliée, l'oligarchie bureaucratique, et la constitution d'un État-nation canadien dirigé par la petite bourgeoisie professionnelle.

* Les Patriotes avaient fait élire Ezekiel Hart dans la circonscription de Trois-Rivières. Mais, à cause de ses origines, la loi britannique lui interdisait de siéger.

Le projet national des Patriotes n'est pas ethnique, il se rattache plutôt à la conception civique de la nation, dans la mesure où il est animé par l'esprit républicain et cherche à intégrer les diverses composantes de la société canadienne. Cette conception de la nation est bien exposée dans le journal *La Minerve* du 28 avril 1827 :

> Qu'est ce qu'un Canadien ? Généalogiquement, ce sont ceux dont les ancêtres habitaient le pays avant 1759 et dont les lois, les usages, le langage leur sont politiquement conservés par des traités et des actes constitutionnels. Politiquement, les Canadiens sont ceux qui font cause commune avec les habitants du pays, ceux en qui le nom de ce pays éveille le sentiment de la patrie… Dès qu'un habitant du pays montre qu'il est vraiment citoyen, on ne fait pas de différence.

Il s'agit donc d'un **nationalisme politique** qui se définit en fonction de l'exercice des droits démocratiques. Sont considérés comme patriotes tous ceux qui soutiennent les députés dans leur luttes parlementaires contre l'oligarchie. Le clivage est politique, et non pas linguistique ou ethnique, ce qui est attesté par le fait qu'on retrouvait dans les rangs du Parti patriote des Écossais et des Irlandais comme les O'Callaghan, les frères Nelson, Neilson, Tulloch, Neysmith, Finey, Tracy, Dewitt et autres, ou encore par le fait que la déclaration d'indépendance du Bas-Canada stipulait que l'anglais et le français seraient les langues officielles de la République du Bas-Canada[10]. Dans les 92 Résolutions, Papineau déclare que l'ambition des Patriotes est de faire de tous les colons « un peuple frère » et de détruire les antipathies nationales[11].

Le nationalisme des Patriotes était donc de type politique. Il visait le contrôle des institutions politiques par l'obtention du gouvernement responsable, ce qui signifiait dans les faits la prise de contrôle du pouvoir politique par les Canadiens et le renversement des effets de la « Conquête ». Ce nationalisme se greffait à un projet de société libéral, républicain et laïque. La stratégie du Parti patriote consistait à faire de l'opposition constitutionnelle en s'appuyant sur les principes démocratiques et en dénonçant les abus, le favoritisme et les injustices commises par l'oligarchie bureaucratique. Ils ont cru, jusqu'au début des années 1830, pouvoir obtenir des réformes de la métropole, mais l'intransigeance du pouvoir colonial les obligea à radicaliser leurs positions et à envisager la rupture du lien colonial. Les dissolutions répétées de l'Assemblée législative, les atteintes à la liberté de la presse, les violences commises par les troupes britanniques lors des élections de 1832 et 1834 et finalement la saisie par le gouvernement des avoirs de l'Assemblée législative les pousseront à réclamer l'indépendance du Bas-Canada.

Ce projet d'émancipation nationale sera écrasé militairement en 1837-1838. Pour les vaincus de 1759, la défaite militaire du mouvement patriote renforce toutes les tendances inhérentes à la situation coloniale imposée par les armes en 1759. Aucune société ne peut sortir indemne d'une expérience de répression militaire.

NOTES

1. Cité par Fernand OUELLET, *Papineau, textes choisis*, Québec, Presses de l'Université Laval, 1959, p. 57
2. Voir Guy BOUTHILLIER et Jean MEYNAUD, *Le choc des langues : 1760-1969*, Montréal, Presses de l'Université de Montréal, 1971, p. 90.
3. Cité par Danielle NOËL, *Les questions de langue au Québec : 1759-1850*, Conseil de la langue française, 1990, p. 171.
4. *Ibid.*, p. 178.
5. *Ibid.*, p. 124.
6. Voir Mason WADE, *Les Canadiens français de 1760 à nos jours*, Ottawa, Cercle du livre de France, 1966, t. 1, p. 122-123.
7. Cité par Gilles BOURQUE, *Classes sociales et question nationale au Québec*, Montréal, Parti pris, 1970, p. 295-296.
8. Voir Pierre TOUSIGNANT, *Documents relatifs au projet d'Union législative du Haut et du Bas-Canada, 1822-1828*, Montréal, Université de Montréal, département d'histoire, s.d., p. 36.
9. Cité par Stanley RYERSON, *Le capitalisme et la Confédération*, Montréal, Parti pris, 1972, p. 63.
10. Voir Andrée FERRETTI et Gaston MIRON, *Les grands textes indépendantistes*, Montréal, L'Hexagone, 1992, p. 61.
11. Voir Fernand DUMONT, *Genèse de la société québécoise*, Montréal, Boréal, 1993, p. 184.

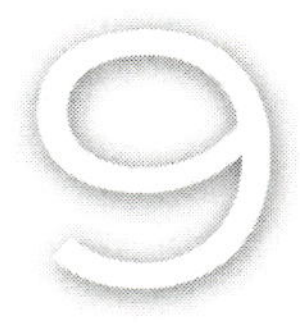

LE NATIONALISME DE CONSERVATION

Qu'on le veuille ou qu'on ne le veuille pas,
notre État français, nous l'aurons...
La Confédération nous en sommes.

LIONEL GROULX[1].

À la résistance dynamique et libératrice, fondée sur le projet de construire sur les rives du Saint-Laurent une société française, républicaine et indépendante, succède un nationalisme de conservation. La lutte pour la survivance allait remplacer la lutte pour l'indépendance.

L'échec de l'élite laïque et professionnelle entraîne une modification des rapports entre les forces sociales du Bas-Canada. Le nouveau régime constitutionnel instauré par l'Acte d'Union consacre la victoire de la bourgeoisie marchande sur l'élite laïque canadienne. En fusionnant les deux colonies et en donnant une représentation égale de 42 députés au Haut et au Bas-Canada, l'Union met les institutions représentatives sous le contrôle de la population anglophone, même si les francophones sont encore pour quelque temps plus nombreux. La bourgeoisie fait ainsi d'une pierre, deux coups. D'une part, les francophones étant devenus politiquement minoritaires, il n'y a plus de contradiction entre ses intérêts et la reconnaissance du gouvernement responsable. D'autre part, elle peut accaparer les surplus de l'Assemblée du Bas-Canada, éponger les dettes du Haut-Canada et utiliser les fonds publics à ses projets d'expansion économique. Londres accordera au Canada-Uni le gouvernement responsable et plus tard l'autonomie administrative dans une conjoncture qui excluait toute possibilité d'hégémonie politique des Canadiens français.

Au sein de la structure sociale canadienne, le leadership social change aussi de mains. Les leaders patriotes sont en exil et sont déconsidérés aux yeux de la population*. Après un tel traumatisme, l'Église est alors la seule institution capable d'encadrer la société canadienne et elle profitera du désarroi de l'élite laïque pour imposer son leadership social. Le repli sur soi, la résignation politique et le conservatisme social deviendront les traits caractéristiques de l'idéologie dominante au Canada français. Les éléments modérés de la petite bourgeoisie « professionnelle » acceptèrent de se soumettre à la tutelle de l'Église et de participer à un jeu d'alliances où ils avaient perdu toute capacité d'initiative. Cette soumission politique lui vaudra une nouvelle assise économique : l'accès à des postes dans la fonction publique. La subordination et la collaboration s'imposaient comme moyens d'assurer la survivance collective. Le nationalisme, de dynamique et progressiste qu'il était, deviendra défensif et conservateur. De politique qu'il était, le projet national deviendra culturel : défendre la religion catholique, la langue française et les traditions. Dans le contexte du développement industriel et de l'urbanisation, l'élite cléricale définit un projet de société diamétralement opposé aux tendances nouvelles du monde matériel. Cette idéologie refuse l'industrialisation, les progrès modernes et l'intervention de l'État, elle incite les Canadiens français à rester agriculteurs. On définit la nation par sa **mission providentielle** et spirituelle : christianiser l'Amérique et porter le flambeau de la civilisation. Ce projet est bien résumé par Mgr Paquet en 1903 :

> Nous ne sommes pas seulement une race civilisée, nous sommes des pionniers de la civilisation ; nous ne sommes pas seulement un peuple religieux, nous sommes des messagers de l'idée religieuse. Notre mission est moins de manier des capitaux que de remuer des idées ; elle consiste moins à allumer le feu des usines qu'à entretenir et à faire rayonner au loin le foyer lumineux de la religion

* Il y a eu environ 3000 personnes qui se sont réfugiées aux États-Unis, 99 condamnations à mort, 12 exécutions, 325 morts sur les champs de bataille.

> et de la pensée. Pendant que nos rivaux revendiquent, sans doute dans des luttes courtoises, l'hégémonie de l'industrie et de la finance, nous ambitionnerons avant tout l'honneur de la doctrine et les palmes de l'apostolat[2].

Mise en situation minoritaire, dépossédée du contrôle des institutions politiques, subjugée par une élite rétrograde, la nation canadienne se définit maintenant par son appartenance linguistique pour se distinguer de l'autre en ajoutant le qualificatif de français à son identité originelle : les Canadiens sont devenus des Canadiens français. Parce qu'ils sont à l'écart des centres de décisions, la résistance aux changements devient le mot d'ordre national. C'est un nationalisme mystique qui fait appel à la mission providentielle et au peuple élu pour légitimer l'existence de la nation. Comme le dit si bien Fernand Dumont : « On se console par en haut de ce qui est perdu par en bas[3]. »

Ce nationalisme de conservation exprime le complexe d'impuissance politique qu'éprouvent les Canadiens français dans un cadre politique où ils sont minoritaires et soumis à une dynamique qui leur échappe. Dans ce contexte, tout changement est perçu comme une menace et enclenche une réaction défensive. Cette dialectique mène à l'irréalisme, car elle force une collectivité à se replier sur elle-même et à adhérer à des projets ou à des conceptions qui sont contredits par les faits. De plus, ce nationalisme est stérile parce que désarmé, car il refuse de recourir au politique pour affirmer l'existence collective.

Les traits dominants du nationalisme canadien-français à partir de 1867 sont la théorie du pacte entre les deux nations (« les deux peuples fondateurs »), le refus de l'État et la défense du statu quo constitutionnel qui, avec l'adoption de l'Acte de l'Amérique du Nord britannique recrée une entité politique où les francophones seront en majorité : la province de Québec. Mais les champs d'action dévolus à cet embryon de pouvoir politique sont restreints aux aspects culturels de la vie collective, ce qui convient certes aux élites cléricales, mais ce qui ratatine aussi la vision du monde en institutionnalisant la dépendance pour les autres aspects de la vie nationale.

Le nationalisme, dans la phase industrielle du capitalisme, prendra deux formes différentes qui se rattachent à un tronc commun : la **défense du catholicisme** comme élément définisseur de la nation. Ces deux formes de nationalisme se distinguent toutefois quant à leur sentiment d'appartenance. Le premier type sera axé sur l'identité canadienne et sera véhiculé par Henri Bourassa qui fut homme politique et journaliste. Le deuxième type de nationalisme se définira comme canadien-français et valorisera le sentiment d'appartenance au Québec et la défense de la langue française. Il sera structuré intellectuellement par le chanoine Lionel Groulx et utilisé politiquement par Maurice Duplessis.

Le nationalisme canadien d'Henri Bourassa

Le fondateur du *Devoir* était un fédéraliste convaincu qui gardait une foi inébranlable dans les vertus du fédéralisme canadien, même si la politique fédérale le décevait. Son attachement à cette forme de gouvernement s'inspirait d'une conception médiévale de l'organisation sociale. Il estimait que, sous l'égide de l'Église, les diverses nations européennes avaient pu développer leurs cultures particulières. Le particulier pouvait être englobé dans l'universel dans la mesure où ces nations étaient unies par une foi commune et acceptaient la direction d'un « Père commun des fidèles, infaillible directeur de la foi, indéfectible gardien de la morale[4] ».

Pour cet ultramontain, la religion est la valeur suprême : « À l'Église apostolique et romaine, nous avons voué un amour sans borne, une fidélité inviolable, une obéissance entière. » Il définit ainsi son échelle de valeurs :

> Il faut parfois rappeler — tout étant bouleversé de nos jours dans la hiérarchie des devoirs — que la religion précède le patriotisme, que la préservation de la foi et des mœurs importe plus que la conservation de la langue, que le maintien des traditions nationales, des vertus familiales surtout, prime les exigences du haut enseignement ou la production des œuvres littéraires[5].

Il reconnaissait qu'à l'époque moderne l'Église ne pouvait plus être le facteur d'unité des communautés humaines, mais ce rôle pouvait être assumé de façon plus restreinte par les États fédéraux. Le modèle de l'universalisme catholique pouvait ainsi devenir une caution du fédéralisme.

Son nationalisme était fondé sur deux exigences : d'une part, la croissance normale et graduelle de la nationalité canadienne qui devait la conduire à l'indépendance du Canada, et d'autre part, à l'intérieur du Canada, le développement *simultané et équilibré* de deux cultures de base[6]. Bourassa participera à la construction de la théorie du **pacte entre les deux nations** qui est le socle sur lequel repose sa représentation de la nation. Il soutenait que l'épanouissement de la culture canadienne-française était possible au sein de la « confédération » canadienne. Certes, la réalité lui apportera de nombreux démentis, lorsque les droits du français seront battus en brèche dans l'Ouest et en Ontario, ou encore lorsqu'il protestera vainement contre la politique d'immigration de Sifton qui déséquilibrait les rapports démographiques entre les francophones et les anglophones. Même s'il s'avoue désenchanté, il continue à espérer et à faire comme si le fédéralisme canadien pouvait fonctionner dans le respect des deux nations.

Bourassa était fédéraliste aussi parce qu'il adhérait à une forme de messianisme. Il croyait à la mission civilisatrice et religieuse du Canada français en Amérique du Nord et il estimait que ce projet ne pouvait se réaliser que dans le cadre du Canada, dans la mesure où les minorités françaises pouvaient se développer sur l'ensemble du territoire canadien. Le Québec jouait au sein de l'ensemble canadien un rôle essentiel à la réalisation de ce projet messianique, qui était de venir en aide aux minorités francophones des autres provinces.

Bourassa se définit comme Canadien avant tout. Il rêve d'un Canada où les deux peuples fondateurs pourraient coexister dans la bonne entente. Il se fait le promoteur d'un nationalisme pancanadien basé sur le respect mutuel entre les deux « races », comme on disait à l'époque :

> Le seul terrain sur lequel il soit possible de placer la solution de nos problèmes nationaux, c'est celui du respect mutuel à nos sympathies de races et du devoir exclusif à la patrie commune. Il n'y a ici ni maîtres ni valets, ni vainqueurs ni vaincus : il y a deux alliés dont l'association s'est conclue sur des bases équitables et bien définies. Nous ne demandons pas à nos voisins d'origine anglaise de nous aider à opérer un rapprochement politique vers la France ; ils n'ont pas le droit de se servir de la force brutale du nombre pour enfreindre les termes de l'alliance et nous faire assumer vis-à-vis l'Angleterre des obligations nouvelles, fussent-elles toutes volontaires et spontanées. Nous considérons que le Canada tout entier est notre patrie, qu'il nous appartient au même titre qu'aux autres races[7].

Il reproche aux Canadiens anglais de mettre leur loyauté à la Grande-Bretagne avant leur sentiment d'appartenance au Canada : « Nous, Canadiens français, nous n'appartenons qu'à un pays... Le Canada est pour nous le monde entier. Mais les Anglais ont deux patries : celle d'ici et celle d'outre-mer[8]. » Les nationalistes canadiens se battaient contre les partisans de la puissance britannique qui voulaient que le Canada participe aux guerres impérialistes à l'extérieur du territoire canadien. Ils revendiquaient l'indépendance du Canada et le droit pour ce pays d'être représenté aux congrès internationaux, de signer des traités commerciaux et de nommer ses propres représentants à l'étranger, une procédure permettant aux tribunaux canadiens d'être des tribunaux de dernière instance et, enfin, le contrôle de la politique d'immigration. Cet enjeu était particulièrement sensible pour les nationalistes, car au début du XXe siècle les chargés de mission du Canada à l'étranger recrutaient des immigrants presque exclusivement en Grande-Bretagne et négligeaient la France et la Belgique. Pour 400 Britanniques qui venaient s'établir au Canada, il n'y avait qu'un Français. Cette politique bouleversait l'équilibre démographique entre la population anglophone et francophone.

Dans sa vision du monde, les rapports de forces n'ont pas de place. Il en constate et en conteste les effets lorsque les pro-impérialistes veulent imposer la participation du Canada à la guerre des Boers (1899), ou encore le financement de la marine de guerre britannique (1910). Au nom d'une conception abstraite de la justice, il voudrait que les institutions politiques échappent à la logique démocratique de la loi du nombre, car il ne peut concevoir d'autre statut que celui de minorité pour les Canadiens français.

Son nationalisme canadien prend appui sur deux nationalismes culturels distincts, lesquels doivent être dissociés du politique et ne doivent pas chercher à faire la jonction avec l'État. De façon utopique, il pense que le rôle de l'État canadien est d'être neutre, de se situer au-dessus des nations et de maintenir l'équilibre entre les deux peuples fondateurs. Dans son optique, le nationalisme canadien-français peut et doit se développer à l'intérieur d'un patriotisme plus général.

> Notre nationalisme à nous est le nationalisme canadien fondé sur la dualité des races et sur les traditions particulières que cette dualité comporte. Nous travaillons au développement du patriotisme canadien, qui est à nos yeux la

> meilleure garantie de l'existence des deux races et du respect mutuel qu'elles se doivent. Les *nôtres*, pour nous, comme pour Monsieur Tardivel, sont les Canadiens français, mais les Canadiens anglais ne sont pas des étrangers et nous regardons comme des alliés tous ceux d'entre eux qui nous respectent et qui veulent comme nous le maintien intégral de l'autonomie canadienne. La patrie pour nous c'est le Canada tout entier, c'est-à-dire une fédération de races distinctes et de provinces autonomes. La nation que nous voulons voir se développer, c'est la nation canadienne, composée de Canadiens français et de Canadiens anglais[9].

Bourassa préconise en quelque sorte une forme de séparatisme culturel maintenu et protégé par la Confédération canadienne. Il combat toute velléité d'indépendance politique de la part des Canadiens français, car il ne croit pas aux possibilités de survie d'un Québec indépendant. Il estime de plus que le Québec serait trop petit pour réaliser les plans grandioses que la Divine Providence avait faits pour les Canadiens français : christianiser l'Amérique.

Dans son optique, la survivance des Canadiens français est la condition essentielle du maintien d'une nation canadienne, car la présence au Canada de la minorité francophone protège le Canada de l'américanisation et du *melting pot*. Par ailleurs, le nationalisme canadien est la condition de la survivance du Canada français dans la mesure où il garantit les droits des minorités et la conservation de la vie francophone dans l'ensemble du Canada. Il déplore l'attitude chauvine des Canadiens anglais et leurs tentatives délibérées d'assimilation des minorités francophones. Malgré les déboires de la Confédération et les préjudices causés aux Canadiens français, il espère que le Canada anglais acceptera un jour la thèse des deux peuples fondateurs et la dépendance réciproque des deux nations.

La suprématie des valeurs religieuses obligera Bourassa à tempérer ses ardeurs nationalistes après sa rencontre avec Pie XI en 1929. La défense de la langue française passe au second plan, car il estimait que la défense de la religion devait être le premier devoir d'un catholique. La langue gardienne de la foi, pierre d'assise de la pensée nationaliste, est désormais un principe erroné. Le catholicisme devait passer avant le nationalisme[10].

Le nationalisme canadien-français de Lionel Groulx

Lionel Groulx est le premier intellectuel qui tente une structuration de l'idéologie nationaliste et cherche à en faire une doctrine. Il sera influencé par le nationalisme romantique de Joseph de Maistre, de Louis Veuillot, de Maurice Barrès et, dans une moindre mesure, de Charles Maurras. Il ne pourra pas se réclamer ouvertement de Maurras, car celui-ci était agnostique, alors que Groulx était un fervent catholique. Ce ressourcement intellectuel manifeste un renouveau d'influence de la France sur les Canadiens français qui vont de plus en plus nombreux parfaire leur formation universitaire dans l'ancienne mère patrie. Les nationalistes vont donc exalter les origines françaises et l'appartenance à la culture française.

Comme beaucoup de ses contemporains et disciples, Groulx était un idéaliste qui se cantonnait dans l'action éducative et refusait de s'engager dans l'action politique. Fournir une doctrine à son peuple fut la grande ambition de sa vie et, pour y arriver, il se fit professeur d'histoire. Il choisit l'éducation de la jeunesse parce que, disait-il : « L'éducation est le château-fort ou le tombeau des nationalités[11]. » Il cherche à légitimer l'existence de la nation canadienne-française et à découvrir dans l'histoire le fil d'Ariane de son destin. Il pense que l'histoire est la garante de l'unité, de la cohésion et de l'identité nationales :

> J'ai apporté à notre nationalisme l'argument de l'histoire, la révélation que nous avions un passé, une culture. À ce moment-là, on voulait de l'histoire. J'ai eu l'impression de Garneau que l'on se retrouvait parce qu'on avait un passé. J'ai senti le peuple et son désir et son besoin de l'histoire[12].

Le rôle de l'historien était de révéler la grandeur du passé pour en tirer des directives et guider l'avenir. Dans son optique, le passé devait être notre maître.

Groulx adopte une approche essentialiste de la nation qui enracine la définition de la nation canadienne-française dans le régime français :

> Le petit peuple de 1760 possédait tous les éléments d'une nationalité : il avait une patrie à lui, il avait l'unité ethnique, l'unité linguistique, il avait une histoire et des traditions, mais surtout il avait l'unité religieuse, l'unité de la vraie foi, et, avec elle, l'équilibre social et la promesse de l'avenir[13].

Ses modèles de référence sont le défricheur, l'évangélisateur et le défenseur. Il glorifie le rôle protecteur de l'Église et l'agriculture comme mode de vie exemplaire. Dans ses fresques historiques, Groulx a cherché à montrer le rôle bénéfique de la religion et des évêques pour la sauvegarde du Canada français. En valorisant la société de la Nouvelle-France et ses institutions, Groulx cherchait à recentrer l'identité nationale sur les deux composantes culturelles de ce passé : la langue française et la religion catholique. Cette logique le mettait en opposition avec les tendances de son époque où la langue anglaise imposait sa suprématie dans le monde urbain.

Pour Groulx, la nation a des caractéristiques objectives : c'est une communauté de culture, d'histoire, de religion, de territoire et de race, animée par un vouloir-vivre collectif. Groulx, comme les autres penseurs de son époque, utilisait indifféremment les mots de race, peuple, nation et nationalité pour désigner la collectivité. L'emploi du mot « race » étonne aujourd'hui, mais à cette époque il était employé couramment par d'éminents intellectuels, comme André Siegfried[14] et Arnold Toynbee.

Groulx présente une conception ethnique et unitaire de la nation. Il définit la nation par « ses vertus natives » et par sa « personnalité ethnique[15] ». Il résume ainsi sa pensée :

> Notre doctrine, elle peut tenir tout entière en cette brève formule : nous voulons reconstituer la plénitude de notre vie française. Nous voulons retrouver, ressaisir, dans son intégrité, le type ethnique qu'avait laissé ici la France et qu'avaient modelé cent cinquante ans d'histoire... Ce type, nous voulons l'émonder de ses végétations étrangères, développer en lui, avec intensité, la culture originelle, lui rattacher les vertus nouvelles qu'il a acquises depuis la conquête, le maintenir surtout en contact intime avec les sources vives de son passé, pour ensuite le laisser aller de sa vie personnelle et régulière[16].

Il perçoit le Canada comme une menace à l'intégrité nationale, car le système politique est soumis à la volonté d'une majorité protestante et anglophone qui se sert du pouvoir fédéral pour réduire l'importance de la langue française et l'autonomie des institutions québécoises. Le projet national découle de la continuité de l'histoire nationale : résister à l'assimilation et à l'absorption par le Canada anglais et retrouver la capacité de se gouverner soi-même : « Nous revendiquons seulement le droit élémentaire de ne subir la loi de personne[17]. »

Groulx oppose au nationalisme canadien de Bourassa un nationalisme centré sur la province de Québec :

> Dans la hiérarchie des sentiments patriotiques, notre premier, notre plus haut sentiment d'amour doit donc aller, pour ce qui nous regarde, Canadiens français, à notre province de Québec, vieille terre française, issue de la Nouvelle-France, terre qui plus que toute autre portion du Canada, a été pour nous source de vie, milieu générateur par excellence[18].

Cette réorientation du nationalisme s'explique par le fait que, durant les années 1920, l'attention de l'élite canadienne-française se détourne de la scène fédérale pour se braquer sur le Québec, car les effets de la minorisation démographique et politique commencent à peser sur les esprits. Certains événements, comme l'abolition des écoles françaises en Ontario en 1912 de même que la conscription obligatoire décrétée en 1917, montrent l'inefficacité de la stratégie de présence des Canadiens français sur la scène fédérale. Le climat de bonne entente est à ce point détérioré par l'implacable logique de la loi du nombre que le député Francœur proposera en Chambre le retrait du Québec de la Confédération. Groulx sera celui qui cristallisera cette nouvelle prise de conscience. La revue qu'il dirige, *L'Action française*, dénoncera l'intolérance des provinces anglophones à l'endroit de la minorité francophone et la discrimination dont étaient victimes les Canadiens français dans la fonction publique fédérale. Elle revendiquera une monnaie bilingue et des timbres bilingues.

Sur le plan constitutionnel, en dépit d'un flirt temporaire dans les années 1920 avec le rêve d'un État français indépendant qu'on appelait la Laurentie, Groulx reste fidèle au dogme de la pensée nationaliste traditionnelle : l'appartenance du Québec à la Confédération parce que ce régime politique a permis « la résurrection du Canada français » en redonnant un statut politique au Québec et l'autonomie en matière sociale et culturelle. La légitimité de la Confédération ne soulève aucun doute dans son esprit : « Si l'alliance de 1867 devint un pacte fédératif plutôt qu'une fusion de provinces, ce fut chose exigée d'abord par le Canada français[19]. » Pour Groulx, la Confédération est le résultat d'un double contrat : un contrat politique qui délimite soigneusement les juridictions provinciales et fédérales et garantit l'autonomie des provinces et un contrat entre nations qui protège les minorités religieuses dans les provinces.

Groulx n'a jamais soutenu publiquement le mouvement indépendantiste[20]. Certes, il prévoit, dans *Notre avenir politique*, l'effondrement de la Confédération, mais il ne veut pas pousser à la roue. Il estime plutôt que le Québec doit défendre avec acharnement son autonomie provinciale. Il dira à la fin de sa vie : « Je n'ai jamais été séparatiste[21]. » Groulx ne pouvait être indépendantiste, car les dimensions humaines et territoriales du Québec n'étaient pas à la hauteur de son rêve messianique visant la reconstitution d'un empire français en Amérique. De plus, Groulx est historien et ne se sent pas habilité à proposer des solutions politiques. Son ambition était avant tout d'agir sur les consciences et de vivifier la fierté nationale de son peuple et sa fidélité aux origines françaises. Il voulait certes l'émancipation des Canadiens français, mais ne croyait pas que le Canada français avait les ressources humaines et matérielles pour relever le défi de l'indépendance. Il manquait au peuple un esprit de solidarité et une élite. Il ne voulait pas non plus réduire le Canada français aux frontières du Québec pour ne pas abandonner les minorités francophones hors Québec. Il n'a pas d'objection de principe à l'indépendance, mais il pense que, pour son époque, la prudence commande de limiter l'ordre des possibles à la création d'un **État français** sur les rives du Saint-Laurent. Selon Jean-Pierre Gaboury[22], c'est l'ambition de « l'État français » qui est au cœur de sa pensée et le véritable fondement de son engagement nationaliste. Cet État français, dans son esprit, n'impliquait pas de « bouleversement constitutionnel », il pouvait se réaliser à l'intérieur des pouvoirs provinciaux, à la condition que les partis québécois adoptent une politique nationale : « [...] nous demandons un État qui, dans le respect des droits de tous, se souvienne aussi de gouverner pour les nationaux de cette province, pour la majorité de cette population qui est canadienne-française[23]. » Mais Groulx ne faisait nullement confiance aux politiciens québécois pour réaliser ce projet parce qu'ils étaient à la solde des partis fédéraux.

L'apport de Groulx aura été de hausser dans la conscience collective la province de Québec au statut d'État national des Canadiens français. Mais il laissera à d'autres le soin de traduire politiquement sa doctrine nationale qui inspirera l'adoption des politiques linguistiques dans les années 1970.

Dans les années 1930 et 1940, le nationalisme canadien-français orientera l'action de plusieurs mouvements politiques comme l'Action libérale nationale ou le Bloc populaire canadien. Mais ce sera surtout l'Union nationale et son chef Maurice Duplessis qui sauront capitaliser pendant vingt ans sur les ressorts mobilisateurs du nationalisme canadien-français en se faisant les gardiens de l'**autonomie provinciale.**

Maurice Duplessis ne s'oppose aucunement au fédéralisme et à la Constitution de 1867, car il estime que la Constitution n'est pas la source des problèmes constitutionnels canadiens. Ce sont plutôt ceux qui ne respectent pas la constitution et qui cherchent à centraliser les pouvoirs à Ottawa qui menacent la survie du Canada :

> Nous voulons le respect de la Constitution, mais la conférence intergouvernementale (de 1946) a montré la mauvaise foi d'Ottawa qui veut tout centraliser : la taxation, les pensions, l'assurance-santé et même l'éducation… Les centralisateurs et les assimilateurs ne veulent qu'un parlement, qu'une langue et qu'une religion, ils veulent faire disparaître nos traditions et nos mentalités[24].

Duplessis adhère à la théorie du pacte entre les deux nations et se réfère à l'esprit des Pères de la Confédération pour légitimer la défense de l'autonomie provinciale :

> L'autonomie, c'est la sauvegarde des libertés et prérogatives provinciales, c'est le droit d'être maître chez soi, et le droit de légiférer de la manière qui nous convient et le pouvoir d'appliquer ces lois… c'est le respect des droits que nous avons conquis et que la Constitution nous a reconnus[25].

L'autonomie n'est pas conçue comme la capacité d'innover, de changer les choses, c'est le droit de résister aux changements et de préserver le statu quo social. Si Duplessis s'opposait à l'impôt fédéral et à l'ingérence du gouvernement fédéral dans la législation sociale, cela ne voulait pas dire qu'il était disposé à récupérer ces pouvoirs fiscaux pour développer les services sociaux sur une base provinciale. En fait, la lutte pour l'autonomie provinciale apparaît comme une lutte pour le statu quo fédératif, à une époque où le gouvernement fédéral voulait « parfaire » la Confédération dans le sens de la centralisation. Cet autonomisme répondait aussi à des contingences électorales car, en jouant sur la fibre nationaliste des Québécois et en s'attaquant aux centralisateurs d'Ottawa, c'est-à-dire aux libéraux, il discréditait le Parti libéral du Québec qui avait aliéné les droits constitutionnels de la province en 1940. La récupération des pouvoirs fiscaux en 1954 constituera le plus haut fait d'armes de cet autonomiste. Il faut aussi mettre à son crédit l'adoption d'un drapeau national en 1948. Mais pour le reste, le duplessisme ne proposait nullement d'utiliser les instruments collectifs, comme les pouvoirs de l'État provincial, pour changer la situation des Canadiens français, car le nationalisme canadien-français s'accompagnait d'une conception négative du rôle de l'État qui devait intervenir le moins possible pour ne pas concurrencer le rôle que jouait l'Église dans la vie sociale de la nation.

Duplessis n'a jamais pensé que le Québec pouvait obtenir la maîtrise de sa vie économique, politique et culturelle. Son conservatisme social et son attitude défensive caractérisent sa lutte pour l'autonomie provinciale. Soulignons, pour illustrer ce trait, que Duplessis employait toujours le terme de « province » et non celui d'État pour décrire le Québec.

Le nationalisme de conservation propose une **définition essentialiste** de la nation qui dans la pensée de Groulx prendra une tonalité nostalgique : comme au temps de ses origines, la nation canadienne-française est catholique, française et rurale. Elle a une mission providentielle : porter le flambeau des valeurs spirituelles. La nation pour survivre devait refuser le changement, conserver les valeurs du passé, respecter les traditions et les autorités établies. La stratégie nationaliste de la survivance cherchait à soustraire la nation aux influences extérieures en l'entourant d'un cordon sanitaire. Il fallait entre autres soustraire la nation à l'influence pernicieuse du monde industriel et urbain, où le contact avec d'autres cultures et modes de pensée devenait inévitable et incontrôlable. Dans ce contexte, les autres, c'est-à-dire les anglo-protestants, les juifs, les immigrants, sont perçus comme une menace pour la collectivité, car ils modifient les rapports de force linguistiques et démographiques et affaiblissent la nation. Ainsi, la ruralité et la natalité deviennent les deux remparts de la survivance nationale.

Sur le plan constitutionnel, les nationalistes canadiens-français acceptent la Confédération canadienne parce qu'elle devait garantir les droits des minorités françaises hors Québec et qu'elle assurait au Québec l'autonomie en matière sociale et culturelle. Ils ne revendiquent pas de changements constitutionnels, mais réclament plutôt l'application de la lettre de la constitution dans le partage des compétences et contestent « l'impérialisme fédéral » qui s'est manifesté dans la foulée de la crise économique des années 1930 et de la Deuxième Guerre mondiale.

Les principaux leitmotive de cette idéologie sont « l'essentiel, c'est le ciel », « nous sommes pauvres, catholiques et français », « l'Anglais exerce sur nous un pouvoir économique écrasant et est responsable de notre subordination et de notre déchéance nationale ». Ce nationalisme est essentiellement négatif, tourné vers le passé. Il propose une stratégie irréaliste parce qu'elle refuse l'intervention de l'État et qu'elle est contredite par l'évolution économique et sociale du Québec.

NOTES

1. Lionel GROULX, *Directives*, Montréal, Éditions du Zodiaque, 1937, p. 234 et 243.
2. Cité par Mason WADE, *Les Canadiens français de 1760 à nos jours*, Montréal, Cercle du livre de France, 1966, t. 1, p. 554.
3. Fernand DUMONT, *Genèse de la société québécoise*, Montréal, Boréal, 1993, p. 277.
4. *Le Devoir*, 24 novembre 1923.
5. Cité par Jean DROLET, « Henri Bourassa, une analyse de sa pensée », in Fernand Dumont, *Idéologies au Canada français : 1900-1929*, Québec, Presses de l'Université Laval, 1974, p. 223.
6. *Ibid.*, p. 233.
7. Cité par André LAURENDEAU, « Le nationalisme de Bourassa », *L'Action nationale*, vol, 43, n° 1, p. 30.
8. Cité par Mason WADE, *op. cit.*, p. 522.
9. *Ibid.*, p. 31.
10. Voir Robert RUMILLY, *Henri Bourassa*, Montréal, Éditions Chanteclair, 1953, p. 692.
11. Lionel GROULX, *La Confédération canadienne, ses origines*, Montréal, Le Devoir, 1918, p. 158-159.
12. Cité par Jean-Pierre GABOURY, *Le nationalisme de Lionel Groulx*, Ottawa, Éditions de l'Université d'Ottawa, 1970, p. 93.
13. Lionel GROULX, *La naissance d'une race*, Montréal, L'Action française, 1919, p. 293.
14. André SIEGFRIED, *Le Canada, les deux races*, Paris, Armand Colin, 1907.
15. Voir *L'Action nationale*, mars-avril 1963, p. 702.
16. Lionel GROULX, « Notre doctrine », *L'Action nationale*, mars 1836, p. 702-703.
17. Lionel GROULX, *Dix ans d'Action française*, Montréal, L'Action française, 1926, p. 160.
18. Lionel GROULX, « Vers l'avenir », *L'Action nationale*, vol. XVIII, octobre 1941, p. 101-102.

19. Lionel GROULX, « Les Canadiens français et l'établissement de la Confédération », *L'Action française*, 1927, p. 6-7.
20. Voir François Albert ANGERS, « Lionel Groulx et le nationalisme canadien-français », in *Hommage à Lionel Groulx*, Montréal, Leméac, 1978, p. 27 ; voir aussi Susan MANN TROFIMENKOFF, *Visions nationales*, Montréal, Éditions du Trécarré, 1986, p. 313.
21. Interview de Marie-Lise Brunel, citée par Jean Pierre GABOURY, *op. cit.*, p. 959.
22. Jean-Pierre GABOURY, « L'État français ou Lionel Groulx et la souveraineté du Québec », *L'Action nationale*, juin 1968, p. 948.
23. Lionel GROULX, *Directives*, Montréal, Éditions du Zodiaque, 1937, p. 118.
24. Maurice Duplessis, propos rapportés par *Le Devoir*, 17 octobre 1945 et 4 janvier 1946.
25. *Le Devoir*, 19 septembre 1949.

10

LE NATIONALISME DE MODERNISATION

Maîtres chez nous.

Slogan du Parti libéral du Québec en 1962.

L'après-guerre se caractérise par une longue période de prospérité économique. Les salaires augmentent plus rapidement que le coût de la vie et les Québécois accèdent à la société de consommation. La modernisation de la structure industrielle est provoquée par l'entrée massive de capitaux américains qui, avec la complicité des élites politiques provinciales, exploitent à bon compte les ressources naturelles du Québec.

Cette modernisation aura deux effets : la modification de la structure sociale et le développement des fonctions de l'État provincial. Le contact avec la modernité industrielle rendra plus aiguës les inégalités ethniques, ce qui accélérera la prise de conscience des contradictions nationales du système politique canadien et de l'infériorité économique des francophones, car la propriété des entreprises reste étrangère, la langue du travail et du commerce est l'anglais. Les Canadiens français qui s'installent en milieu urbain occupent des emplois subalternes de manœuvres, d'ouvriers spécialisés ou d'employés et, dans ce contexte, la langue de travail s'impose comme enjeu social, car la suprématie de l'anglais entrave les aspirations à la mobilité sociale des francophones. Ainsi, après 1945, les Canadiens français ont gravi l'échelon des emplois industriels et se concentrent dans le secteur tertiaire, mais cette modernisation de la structure des emplois ne leur donne pas accès aux postes de commande de l'économie. **La discrimination linguistique** devient un aspect évident de l'oppression nationale parce qu'elle rend immédiatement et matériellement tangibles les contradictions qui découlent de la subordination politique d'une nation à une autre.

Comme le prévoit le modèle de Gellner[1], lorsque les clivages économiques recoupent les clivages ethniques, se développe un nouveau type de nationalisme qui vise à faire coïncider une différenciation culturelle et une entité politique. Le néonationalisme québécois qui se construit à partir de la Révolution tranquille est donc un effet inattendu de la **modernisation économique** du Québec. Le nouveau projet national sera de faire la jonction entre la nation et l'État, et de mettre l'État au service du développement du Québec.

Pour bien comprendre le changement de nature des revendications du néonationalisme, il faut connaître la situation socio-économique des Québécois francophones. Le portrait de la situation économique des francophones comparé à celui des anglophones a été esquissé par la Commission royale d'enquête sur le bilinguisme et le biculturalisme (1963-1969). Globalement, cette étude a démontré qu'il y avait une discrimination systémique pratiquée à l'endroit des francophones qui, sur le plan du revenu et de l'emploi, se retrouvaient au bas de l'échelle. Ainsi, sur une échelle salariale de 13 positions, les francophones arrivaient au 12e rang au Canada. Au Québec, le revenu moyen d'un francophone était de 35 % inférieur à celui d'un anglophone. La commission confirme aussi la sous-représentation des francophones dans les secteurs influents et rentables : 80 % des postes de cadres supérieurs dans les entreprises manufacturières étaient occupés par des anglophones, alors qu'ils ne représentaient que 7 % de la main-d'œuvre active, et 75 % des postes qui commandaient un traitement supérieur à 15 000 $ étaient occupés par des administrateurs anglophones. Le revenu *per capita* au Québec est, depuis 1926, équivalent à 73 % de celui de l'Ontario. Il y a très peu de Canadiens français dans l'élite économique canadienne où, selon John Porter, on retrouvait 51 francophones[2].

Une autre étude réalisée en 1971 confirmait ces tendances : les anglophones gagnaient en moyenne 24 % de plus que les francophones ; même les francophones bilingues avaient des revenus inférieurs aux anglophones unilingues. En consultant le Bottin des directeurs de compagnies, on a découvert que, parmi les 12 741 noms enregistrés en 1971, seulement 9,5 % des directeurs portaient des noms français et une grande proportion de ceux-ci étaient des avocats et d'anciens hommes politiques.

Une autre enquête sur la langue de travail révélait que seulement 50 % des travailleurs pouvaient utiliser le français dans leurs rapports avec le patron de l'entreprise qui les employait. La distribution des groupes linguistiques par occupation illustre bien cet effet de subordination et d'inégalité économique créé par la division culturelle du travail dans le cadre de l'oppression nationale.

DISTRIBUTION DES GROUPES LINGUISTIQUES PAR OCCUPATION, HOMMES, SECTEUR NON AGRICOLE, QUÉBEC, 1970[3]

Pourcentage	Anglophones	Francophones
de la population	14	86
des cadres	31	69
des employés de bureau	21	79
des vendeurs	19	81
des employés de la production	10	90

Ainsi, les anglophones étaient surreprésentés dans les emplois liés au travail intellectuel, alors que les francophones étaient surreprésentés dans le travail manuel.

Ces clivages socio-ethniques existaient depuis la « Conquête », mais ils n'avaient pas de conséquences culturelles dans la société traditionnelle où les francophones étaient préservés de l'assimilation et de l'acculturation. Mais la modernisation industrielle et l'urbanisation systématisent les contacts entre les deux cultures et rendent les inégalités visibles et conflictuelles, car l'infériorité économique peut menacer l'identité culturelle. Les rapports de domination prennent désormais un sens politique et mettront en opposition l'État québécois et l'État canadien.

La politisation du nationalisme

La politisation du nationalisme québécois est une résultante de cette modernisation de l'appareil institutionnel québécois qu'on a appelée la Révolution tranquille. Ce phénomène n'est pas propre au Québec, mais il s'y est manifesté plus tardivement qu'ailleurs et, surtout, il a été associé à l'affirmation politique des Canadiens français, le développement des fonctions de l'État ouvrant la voie à la promotion sociale des francophones qui jusque là restaient confinés aux emplois subalternes.

La revalorisation du **rôle de l'État** entraîne le rejet du nationalisme de conservation et l'émergence d'un nationalisme qui opère la jonction entre le territoire, la spécificité culturelle et le pouvoir politique. La Révolution tranquille provoque la prise de conscience d'une nouvelle identité nationale, centrée exclusivement sur le Québec. Trois projets animent le nouveau nationalisme québécois : l'affirmation du fait français, le développement économique du Québec et l'accroissement des pouvoirs politiques de l'État québécois.

Les sociétés modernes se caractérisent par la prise en charge étatique des fonctions de régulation économique et sociale. Après la Seconde Guerre mondiale, toutes les sociétés occidentales ont confié à l'État de nouvelles responsabilités économiques et sociales qui ne pouvaient plus être assumées efficacement par l'économie de marché. Le train de l'interventionnisme étatique était passé par Ottawa où le gouvernement fédéral, dans la foulée de la crise des années 1930 et de l'effort de guerre, avait accru ses interventions et envahi les champs de juridiction provinciale afin de créer des programmes sociaux et des programmes de soutien à la croissance économique. Le gouvernement du Québec s'était replié dans une attitude défensive sur le plan constitutionnel et avait adopté le laisser-faire sur le plan économique et social. Mais le cadre institutionnel de la société traditionnelle ne pouvait plus répondre aux besoins d'une société moderne qui exige une main-d'œuvre plus scolarisée, des infrastructures de communication efficaces et des services sociaux accessibles à tous. Ces nouvelles fonctions ne pouvaient être prises en charge que par l'État. Cette mutation institutionnelle de l'État québécois répondait non seulement aux besoins des individus, mais aussi au besoin d'affirmation collective d'une population qui, minoritaire au Canada, ne contrôlait pas d'autres institutions politiques que l'État provincial. Cet État deviendra, dans les années soixante, l'instrument stratégique de la promotion sociale des Canadiens français et le pôle de leur identité nationale.

Le renouvellement de la pensée nationaliste suivra deux directions : d'abord, le réformisme constitutionnel et l'affirmation politique du Québec dans le cadre canadien et, ensuite, l'émergence du mouvement souverainiste. Ces deux tendances se développement simultanément, mais elles ne disposent pas des mêmes ressources politiques et ne s'appuient pas sur la même assise sociale. La première est portée par les forces politiques traditionnelles qui se sont modernisées, la seconde sera portée par de nouvelles formations politiques soutenues par les nouvelles générations.

L'expression « Révolution tranquille » désigne donc l'ensemble des réformes mises en œuvre au Québec entre 1960 et 1966. C'est une opération de nettoyage et de rattrapage sur les plans institutionnel, politique et idéologique. Cette révolution impulsera une dynamique de changements qui mettra l'État au cœur de la vie collective. Elle se traduira concrètement par la démocratisation des institutions politiques, par la modernisation de la fonction publique, par la création de nombreuses sociétés d'État, par la nationalisation de l'électricité, par une réforme du système d'éducation et par la laïcisation des services sociaux. Elle s'accompagnera d'un renouveau culturel sans précédent, où la créativité québécoise sera célébrée non seulement au Québec, mais aussi à l'étranger. Toutes ces innovations allaient favoriser la mobilité sociale des jeunes francophones et leur permettre d'exercer leur compétence dans des domaines qui leur étaient auparavant fermés. Ces enfants de la Révolution tranquille seront fortement attachés aux institutions québécoises et soutiendront la montée du mouvement souverainiste.

Ainsi, la nationalisation des compagnies hydro-électriques en 1962 favorisera l'émergence d'une nouvelle élite économique francophone. Les jeunes francophones peuvent désormais accéder à des postes de pouvoir et faire valoir leur compétence. Alors qu'en 1962, au moment de la nationalisation, il n'y avait, à l'emploi des compagnies d'électricité, que 12 % d'ingénieurs francophones, la prise de contrôle gouvernemental fera grimper cette proportion à plus de 80 % en 1967. Les grands projets de barrages de la Manic et, plus tard, de la baie James feront la fierté des Québécois, preuves tangibles de leurs capacités et de leur nouveau pouvoir. La création d'entreprises publiques comme la Société générale de financement et la Caisse de dépôt et de placement ouvrira le monde de la finance aux jeunes francophones.

Le réformisme constitutionnel

Moderniser, créer de nouvelles institutions, augmenter les responsabilités sociales de l'État, nationaliser les compagnies d'électricité, tout cela coûtait cher. Si les dépenses de l'État québécois n'augmentent que de 11,4 % entre 1954 et 1959, elles connaissent un accroissement annuel moyen de 20,9 % entre 1960 et 1965, de sorte que le coût du service de la dette en 1970 était supérieur au coût d'administration de toute la province en 1945[4]. Cet effort de modernisation entraîne une nouvelle dynamique de revendication qui remet en cause la répartition des pouvoirs à l'intérieur de la fédération canadienne. Dès le début de la Révolution tranquille s'engage une bataille sur le partage de l'assiette fiscale et sur la formule de péréquation, car les sources de revenus du Québec sont insuffisantes pour financer les changements institutionnels. Le gouvernement du Québec demande aussi un nouveau partage des pouvoirs dans les domaines de la représentation internationale, de l'immigration, des communications et de la législation sociale. Le Québec voulait se donner les moyens de sa politique.

Le Parti libéral, dirigé pourtant par un fédéraliste convaincu, Jean Lesage, prend la direction de la contestation et propose pour le Québec un « statut particulier » au sein de la fédération canadienne. Il se réclame d'une conception positive du nationalisme, par opposition à la conception passive qui était celle de l'Union nationale. Il associe l'avenir de la nation au rôle actif de l'État.

Le réformisme constitutionnel de Lesage se fonde sur la théorie des deux nations et sur la nécessité de décentraliser les pouvoirs politiques afin de permettre au Québec d'assumer la défense et la promotion de la langue et de la culture française. Le Québec doit servir à cet égard de point d'appui au Canada français car les minorités françaises sont une extension de la majorité francophone concentrée majoritairement au Québec. Le Québec est défini comme le **foyer national** du Canada français. Toutes les forces politiques de l'époque se rallient à cette conception de la nation politique.

Diverses variantes du « statut particulier » seront proposées. Il y aura la thèse des États associés avancée par René Lévesque, qui propose une conception confédérale de l'État canadien où chaque nation disposerait de son État et serait associée à l'autre dans une structure commune, mais ayant des responsabilités bien définies. Daniel Johnson, le chef de l'Union nationale, proposera, en 1965, une thèse un peu plus audacieuse en mettant en balance l'égalité politique ou l'indépendance.

Mais cette vision binationale du Canada, reçue d'un œil étonné mais sympathique par les élites politiques fédérales, sera dénoncée par Pierre Trudeau qui fait son entrée en politique fédérale pour combattre cette logique autonomiste et lui opposer un intransigeant nationalisme canadien[5]. Trudeau, devenu premier ministre, mobilisera les ressources de l'État canadien pour combattre la thèse du statut particulier et l'émergence du mouvement souverainiste. Il définit ainsi la cible de son action politique :

> Un des moyens de contrebalancer l'attrait du séparatisme, c'est d'employer un temps, une énergie et des sommes énormes au service du nationalisme fédéral. Il s'agit de créer de la réalité nationale une image si attrayante qu'elle rende celle du groupe séparatiste peu intéressante par comparaison. Il faut affecter une part des ressources à des choses comme le drapeau national, l'hymne national, l'éducation, le conseil des arts, les sociétés de diffusion radiophonique et de télévision, les offices du film, etc.[6].

Pour le « French Power », il fallait enrayer l'émergence de la conscience nationale québécoise et faire en sorte que le Québec reste une province comme les autres. Il était impensable que le fédéralisme puisse être asymétrique et qu'il y ait une différence de capacités juridiques entre les provinces. Trudeau tente de convaincre les Québécois qu'ils ont intérêt à rester une minorité ethnique, car il pense que le Canada français a besoin du Canada pour son développement économique et la préservation des vertus démocratiques. Pour lui, le problème national se réduit à une question de langue et il disparaîtra grâce au bilinguisme institutionnel qui créera des chances égales pour tous. Il appelait les Canadiens français à participer à la vie politique canadienne pour en retirer tous les bénéfices que le Canada pouvait offrir. Il cherche ainsi à détourner les Québécois de la construction d'un État national pour mieux les intégrer dans le système politique canadien.

Cet appel au fédéralisme rentable trouvera des échos dans l'élite politique québécoise. Robert Bourassa en fera son mot d'ordre, sans toutefois accepter la vision intégratrice de Trudeau. Durant son premier mandat, il donnera priorité aux problèmes économiques et voudra mettre une sourdine aux querelles constitutionnelles. Il voulait remplacer l'ultimatum et la menace par le dialogue et la consultation : « Grâce à la présence de Québécois aux postes de commande du gouvernement central, le Québec pour la première fois peut mettre vraiment le fédéralisme à profit[7]. »

Mais il sera brutalement rappelé à l'ordre des rapports de force et ses espoirs de compromis s'envoleront en fumée lorsque le gouvernement fédéral refusera, à la conférence constitutionnelle de Victoria en 1971, de reconnaître la primauté du Québec en matière de législation sociale. Il y aura alors blocage du processus de révision constitutionnelle, puisque les gouvernements ne s'entendent pas sur une formule d'amendement. Pour camoufler l'échec de sa stratégie, Bourassa mettra de l'avant le thème de la souveraineté culturelle, tout en continuant de prétendre que le fédéralisme était économiquement avantageux.

Le mouvement souverainiste

L'idée de faire du Québec un État indépendant avait disparu du paysage politique québécois depuis l'échec du mouvement patriote au milieu du XIXe siècle. Il y avait bien eu quelques résurgences sporadiques de ce projet chez des intellectuels comme Jules-Paul Tardivel (1895) ou en 1922 dans la jeune revue *L'Action française*, ou encore en 1936-37 avec les frères O'Leary[8] et en 1938 avec la publication de *Nos droits à l'indépendance politique* de l'abbé Victor Morin qui appelait à la création de la Laurentie, le pays des Canadiens français. Mais cette idée n'avait pas dépassé les cercles intellectuels marginaux et n'avait pas eu de conséquences politiques. Le terrain sera plus fertile à partir de 1960, dans la mesure où les élites politiques acceptent l'idée que le Québec n'a pas suffisamment de pouvoirs dans la fédération canadienne et que l'enjeu de la lutte nationale se déplace sur le terrain politique. Dans ce contexte, la critique du fédéralisme pouvait conduire certains esprits logiques à envisager l'indépendance du Québec, d'autant que les échecs répétés du réformisme constitutionnel apporteront de l'eau au moulin du mouvement souverainiste.

L'idée de faire du Québec un État indépendant était aussi en phase avec l'Histoire qui se faisait puisque, avec la **décolonisation** du Tiers-Monde, les nouveaux pays indépendants poussaient comme des champignons. Ces nouveaux États étant pour la plupart beaucoup moins pourvus en ressources humaines et matérielles que le Québec, on pouvait légitimement se demander : pourquoi eux et pas nous ? Les penseurs de la décolonisation, comme Jacques Berque, Frantz Fanon et Albert Memmi[9], auront beaucoup d'influence sur la jeune génération nouvellement scolarisée. Dans les jeunes revues intellectuelles comme *Parti pris*, on développe une nouvelle analyse de la situation du Québec, décrit comme une colonie du Canada[10]. On présente le peuple québécois comme exploité par la bourgeoisie canadienne et l'impérialisme américain. Le discours nationaliste se teinte alors d'une rhétorique socialiste et gauchiste. La conscience sociale va de pair avec la conscience nationale. On utilise même le concept de nation « prolétaire » pour désigner le Québec dans son rapport au reste du Canada. La contestation indépendantiste s'inscrivait enfin dans le contexte d'une contestation universelle des structures politiques et de la culture dominante par la jeunesse du monde occidental.

De ce foisonnement de mouvements et de revues qui naissent au début des années soixante et qui montrent que le dégel québécois fut tout aussi intellectuel qu'institutionnel, nous retiendrons, comme révélateur de l'idéologie indépendantiste, le discours du Rassemblement pour l'indépendance nationale. L'idéologie de ce parti se base sur le postulat de la nécessité de l'indépendance politique pour assurer le développement de la société québécoise. L'argumentation « riniste » se résume ainsi : nous sommes des étrangers dans notre propre pays ; notre économie, nos richesses sont développées en fonction d'intérêts étrangers et non pour les Québécois. Cette dépendance économique se répercute sur le plan culturel et conduit inéluctablement à l'assimilation et à la minorisation définitive des francophones. Dans la Confédération, le Québec est une société dominée et privée des pouvoirs qui lui permettraient de prendre en mains ses destinées. Tant que nous n'aurons pas conquis l'indépendance politique, l'indépendance économique et l'indépendance culturelle demeureront des mythes. L'indépendance nous débarrassera collectivement de notre mentalité de colonisé et de notre infériorité économique.

Ce nationalisme de libération se distingue du nationalisme traditionnel, car il « déconfessionnalise » la définition de la nation et donne un contenu progressiste au projet national. Il rejette l'homogénéité religieuse comme caractéristique de la collectivité nationale et la remplace par l'homogénéité linguistique et culturelle. Il soutient un projet de changement social axé sur l'intervention généralisée de l'État, sur une redistribution plus égalitaire des revenus, sur la laïcisation de la société et sur la nationalisation des ressources naturelles.

L'influence du RIN ne se mesure pas à ses succès électoraux, même si, après trois ans d'existence, ce parti a réussi à obtenir 10 % des votes dans les comtés où il présentait des candidats. Son apport principal aura été de présenter l'indépendance politique comme un état normal pour un peuple moderne et de propager l'idée que les Québécois étaient capables de mener à bien ce projet collectif.

Le principal définisseur et porteur du projet souverainiste sera le Parti québécois créé par René Lévesque en 1968, après sa tentative avortée de faire changer la position constitutionnelle du Parti libéral du Québec. Le Parti québécois réussira à regrouper les forces indépendantistes et à donner au projet souverainiste la respectabilité et la crédibilité nécessaires pour mobiliser un large soutien électoral. Le charisme de ses dirigeants, la jeunesse et le professionnalisme de ses militants, de même que ses structures démocratiques d'encadrement, en feront la principale force d'opposition non seulement aux partis politiques traditionnels, mais aussi à l'ensemble de la classe politique canadienne. Le Parti québécois deviendra en quelques années l'adversaire à abattre pour tous ceux qui s'opposaient au changement tant politique qu'économique et social.

Le nationalisme du Parti québécois (PQ) est moins radical que celui du RIN, car on atténue l'effet de rupture avec le Canada en préférant le concept de souveraineté à celui d'indépendance qui impliquait une détermination unilatérale. Cet effet de modération et d'atténuation est renforcé par l'idée d'une association économique avec le Canada et par l'inclusion, en 1974, d'un référendum dans le processus d'accession à la souveraineté. Cette stratégie permettait au PQ d'exercer le pouvoir tout en reportant à plus tard la réalisation de son objectif fondamental. Mais elle impliquait aussi que le gouvernement fédéral pourrait intervenir dans le processus d'accession à la souveraineté puisqu'il aurait à négocier l'éventuelle association économique.

Le discours péquiste abandonne la problématique coloniale. On ne présente plus le Québec comme étant en situation coloniale. On développe plutôt un argumentaire fonctionnaliste en présentant la souveraineté comme une nécessité historique et fonctionnelle, tant pour le Québec que pour le Canada.

Dans *Option-Québec* qui est le manifeste qui orientera la structuration du discours souverainiste, René Lévesque fait appel à l'histoire et à l'origine commune pour définir la nation :

> Nous sommes des Québécois. Ce que cela veut dire, c'est que le Québec est la seule terre où nous puissions être pleinement nous-mêmes. Être nous-mêmes, c'est essentiellement maintenir et développer une personnalité qui dure depuis trois siècles et demi. Au cœur de cette personnalité se trouve le fait que nous parlons français[11].

Mais si l'histoire justifie l'existence de la nation, l'histoire est aussi caractérisée par le changement perpétuel et le Québec doit se doter de nouveaux outils politiques pour participer aux changements économiques et sociaux et poursuivre le processus de modernisation amorcé par la Révolution tranquille.

La logique émancipatrice de Lévesque se traduit par la confiance en soi : « [...] il y a chez nous, en nous, la capacité de faire notre " ouvrage " nous-mêmes et plus nous prenons en charge et acceptons nos responsabilités, plus nous nous découvrons efficaces et capables de réussir aussi bien que les autres[12]. »

C'est pour continuer d'avancer sur la route du progrès que le Québec a besoin de la souveraineté. Pour se développer pleinement, le Québec doit avoir la maîtrise complète des leviers politiques. Mais il y a un obstacle sur la voie du progrès : le système politique canadien. La constitution canadienne est désuète et entrave l'épanouissement collectif des Québécois. Le Canada est devenu un carcan qui paralyse l'évolution du Québec.

L'argumentaire des péquistes se concentre sur les dysfonctions du fédéralisme canadien engendrées par l'affrontement de deux projets nationaux. Le Canada anglais a besoin d'un État central fort pour assurer son identité et son développement économique et le Québec est pénalisé par cette logique centralisatrice, car il a lui aussi besoin des pouvoirs d'un État normal et complet pour assurer la sécurité et le développement de la nation québécoise. Ces deux logiques entraînent des chevauchements de compétence, des incohérences dans les programmes gouvernementaux et des gaspillages de ressources. Et toutes les tentatives de réformes constitutionnelles ont échoué, car la majorité canadienne bloque les demandes du Québec. Devant cette impasse, Lévesque fait appel à la raison et à l'intérêt mutuel des deux nations. Il estime qu'il serait plus avantageux pour le Canada et le Québec de négocier une formule de souveraineté-association. Cette option serait préférable au statut particulier, car cette dernière option rendrait le Canada ingouvernable. Il soutient aussi que ce projet s'inscrit dans les deux grands courants universels de l'époque, « celui de la liberté des peuples et celui des groupements économiques et politiques librement consentis[13] ». Cette union économique prendrait la forme d'une union monétaire, douanière, tarifaire, postale, elle inclurait la gestion de la dette, de la défense commune et l'élaboration d'une politique étrangère commune. Cette union canadienne imaginée par Lévesque s'inspirait des modèles offerts par le Marché commun et l'union des pays scandinaves.

Ce nouveau projet national sera complété par un programme social progressiste, par un projet de démocratisation de la vie politique et par une politique linguistique qui visait à faire du français non seulement la langue officielle du Québec mais aussi la langue du travail, du commerce et des affaires, tout en protégeant les droits de la minorité anglophone. Ce positionnement idéologique permettra au PQ de se rallier les milieux universitaires et culturels, les forces syndicales et les mouvements populaires et, fort de cet appui, il pourra exercer le pouvoir de 1976 à 1985, sans toutefois réaliser son objectif principal. Il aura réussi par sa politique linguistique, ses législations sociales et ses interventions économiques à affirmer le caractère français de la société québécoise et à favoriser le contrôle de l'économie par des Québécois.

Le nationalisme québécois a mis le Québec au diapason des sociétés modernes. Il a revalorisé le rôle de l'État comme acteur du développement collectif. Il a revalorisé l'usage de la langue française et en a fait la langue commune du Québec. Il a développé une nouvelle identité collective qui se désigne par le vocable de « Québécois » et non plus par celui de « Canadien français », de sorte que la nation ne se définit plus sur une base ethnique mais sur une base civique, ce qui permet à la société québécoise d'envisager plus sereinement l'intégration des nouveaux arrivants. Il a enrayé les effets délétères du complexe d'infériorité que les francophones entretenaient à l'endroit du monde anglophone. Il a créé les conditions d'émergence d'une classe d'affaires francophone qui contrôle une part importante de l'économie québécoise. Mais ce nationalisme, divisé sur le statut politique du Québec, n'a pas réussi à accroître les pouvoirs du Québec, ni par le réformisme constitutionnel, ni par la souveraineté-association. Il a toutefois contribué par un effet boomerang à développer le nationalisme canadien.

Profitant de l'échec du référendum de 1980, le gouvernement canadien planifia un coup de force visant à rapatrier unilatéralement la constitution canadienne, en y faisant ajouter une charte des droits et une formule d'amendement qui allaient réduire considérablement les pouvoirs des provinces. Par un jeu de bascule, le Canada profita des efforts d'affirmation politique du Québec pour renforcer l'identité canadienne. L'idée de deux nations coexistant sur un pied d'égalité dans la même structure politique fut reléguée aux oubliettes par le nationalisme canadien.

NOTES

1. Ernest GELLNER, *Nations et nationalisme*, Paris, Payot, 1989. Voir, plus haut, le chapitre 3.
2. John PORTER, *The Vertical Mosaic*, Toronto, University of Toronto Press, 1965.
3. Ces données sont tirées de François VAILLANCOURT, *La situation des francophones sur le marché du travail québécois*, Montréal, CSN, 1977.
4. Voir Daniel LATOUCHE, « La vraie nature de la Révolution tranquille », *Revue canadienne de science politique*, vol. VII, n° 3, sept. 1974, p. 352.

5. Voir Pierre Elliott TRUDEAU, *Le fédéralisme et la société canadienne-française*, Montréal, HMH, 1967, p. V.
6. *Ibid.*, p. 204.
7. Robert BOURASSA, « Mettre à profit le fédéralisme », in Comité Canada, *Le séparatisme ? NON ! 100 fois non !*, Montréal, Les presses libres, 1970.
8. Dostaler O'LEARY, *Séparatisme, doctrine constructive*, Montréal, 1937.
9. Frantz FANON, *Les damnés de la terre*, Paris, Maspero, 1966 ; Albert MEMMI, *Portrait du colonisé*, Montréal, L'Étincelle, 1972 ; Jacques BERQUE, *De l'impérialisme à la décolonisation*, Paris, Minuit, 1965.
10. André D'ALLEMAGNE, *Le colonialisme au Québec*, Montréal, Éditions R-B, 1966.
11. René LÉVESQUE, *Option Québec*, Montréal, Éditions de l'Homme, 1968, p. 19.
12. *Ibid.*, p. 27.
13. *Ibid.*. p. 39.

11

L'IMPASSE

Le Canada anglais doit comprendre d'une façon très claire que, quoi qu'on dise, quoi qu'on fasse, le Québec est, aujourd'hui et pour toujours, une société distincte, libre et capable d'assumer son destin et son développement.

ROBERT BOURASSA, 22 juin 1990.[1]

Le débat sur le statut politique du Québec est au cœur de l'actualité politique depuis les années 1960. En dépit de la politique politicienne qui l'entraîne sur des chemins tortueux, la question nationale défie l'usure du temps et prend de nouvelles directions. À la question principale de l'accession du Québec à la souveraineté se sont greffés au fil des ans d'autres débats portant sur la politique linguistique, l'immigration, la natalité, la citoyenneté, la partition et le statut des peuples autochtones. À quelques années d'intervalle, la question du Québec a été débattue dans deux référendums à portée constitutionnelle, l'un en 1992 et l'autre en 1995. Ces deux référendums ont été tenus, comme celui de 1980, en vertu de la loi québécoise sur les consultations populaires et se sont déroulés sans anicroche.

Ceux qui après le référendum de 1980 prédisaient pour la décennie postréférendaire le déclin du nationalisme québécois se sont lourdement trompés[2]. Dans un contexte comme celui du Québec qui est une société développée, pluraliste et encadrée par un système politique bicéphale, les tendances de l'opinion publique oscillent en dents de scie et il est présomptueux de prendre les humeurs passagères des citoyens pour une tendance significative. Il suffit bien souvent d'un événement pour activer la résurgence d'une idée qui était en sommeil dans la population. C'est ce qui s'est produit avec les négociations entourant l'accord du lac Meech en 1987 et son rejet en 1990. Si, au milieu des années 1980, le projet souverainiste ne séduisait qu'une faible minorité de Québécois et avait été mis au rancart par le Parti québécois, dans les années 1990, il atteindra des taux inégalés d'approbation, ralliant même en 1991 près de 70 % des Québécois[3].

Les débats entourant l'accord du lac Meech ont fait apparaître de profonds clivages linguistiques et politiques au Canada, divisions qui vont se répercuter sur l'échiquier politique en faisant apparaître de nouveaux partis comme le Bloc québécois et le Reform Party qui, avec le temps, vont consacrer le processus de balkanisation de la politique canadienne. En posant comme condition fondamentale à la signature de la nouvelle constitution la reconnaissance du Québec comme **société distincte**, le Parti libéral du Québec a ouvert une boîte de Pandore. Ce débat a suscité des réactions intempestives au Canada anglais, allant de l'intransigeance idéologique des élites politiques jusqu'à la profanation du drapeau du Québec par des citoyens ontariens.

Ce débat a permis l'émergence d'une identité canadienne renforcée, autour du thème de l'égalité des individus et des provinces, avec, en corollaire, le refus d'accepter toute forme de fédéralisme asymétrique. Ce débat a aussi placé la question autochtone au cœur de l'actualité politique, les autochtones voulant profiter de la brèche ouverte par Meech pour obtenir, eux aussi, leur reconnaissance comme nations et obtenir l'autonomie gouvernementale. Les autochtones vont devenir des alliés efficaces du gouvernement canadien en contestant le droit à l'autodétermination du Québec et en revendiquant le droit de se rattacher au Canada dans l'éventualité d'une sécession.

Enfin, ce débat a suscité une nouvelle prise de conscience dans la communauté anglo-québécoise qui, rendue méfiante par les législations linguistiques du Québec, s'est fortement mobilisée contre la reconnaissance de pouvoirs particuliers pour le Québec. Se réclamant du statut de groupe minoritaire, les leaders de cette communauté, représentée par Alliance-Québec, ont contesté la loi 101 et toutes les mesures qui limitaient l'affichage en anglais et l'accès à l'école anglaise pour les nouveaux arrivants. Parce qu'ils se sentent menacés de disparition et s'estiment victimes de la domination des francophones, les leaders de la communauté anglophone ont mené une virulente campagne de propagande anti-québécoise sur la scène internationale en dénonçant le Québec et les Québécois francophones, Mordecai Richler les traitant « d'antisémites et de tribaux ».

Mais s'il a donné plus de cohérence à l'idéologie canadienne, l'échec du lac Meech a suscité des réactions négatives chez les Québécois francophones, réactions qui se sont traduites par une perte de légitimité du fédéralisme, car ceux-ci constataient qu'une fois de plus le Canada disait NON aux demandes du Québec, qui restaient pourtant minimales et avaient été formulées par un gouvernement nettement fédéraliste. Le fossé idéologique entre le Canada et le Québec s'est encore creusé en 1992 avec le référendum sur l'accord de Charlottetown qui proposait une version édulcorée de Meech, centrée sur une réforme des institutions fédérales. On pensait pouvoir convaincre la majorité des Québécois d'accepter la nouvelle constitution en ajoutant à l'idée de fédéralisme rentable le principe de la stabilité du poids politique des francophones au Parlement canadien, ce qui ne conférait aucun nouveau pouvoir au Québec et entérinait le principe de l'égalité entre les provinces, introduit pour satisfaire les revendications des provinces de l'Ouest. Les Québécois ont dit NON parce que cet accord ne donnait rien de substantiel au Québec et les Canadiens ont eux aussi dit NON parce qu'ils estimaient que cet accord en accordait trop au Québec. Incarnation récente des deux solitudes.

Ce durcissement du Canada à l'endroit du Québec et la situation de blocage qui en a résulté ont contribué à discréditer les positions constitutionnelles du Parti libéral du Québec, ce qui, en vertu de la logique de l'alternance, a favorisé le retour au pouvoir du Parti québécois en 1994 et, subséquemment, l'enclenchement du processus référendaire. Déjouant les pronostics qui prédisaient une victoire facile du NON, le référendum de 1995 a montré qu'il y avait une majorité de francophones qui étaient décidés à abandonner le statut de province et à donner au Québec les pouvoirs d'un État souverain, en dépit des discours catastrophistes, des menaces et des

pressions indues utilisées par le camp du NON. Le match quasi nul du référendum du 30 octobre 1995, qui a permis au fédéralisme de se maintenir seulement par une très courte majorité de votes, a provoqué un vent de panique au Canada anglais et dans les rangs des fédéralistes québécois qui ont dû prendre acte de l'inefficacité persuasive de leur discours et revoir leur arsenal idéologique. Au lieu de procéder à une réforme de la Constitution canadienne qui revienne à l'essentiel de l'entente du Lac Meech et qui puisse mettre un terme aux revendications autonomistes québécoises, ils ont haussé d'un cran leur intransigeance et resserré leur stratégie d'intimidation.

Une logique de l'affrontement

Comme les vagues promesses de renouvellement du fédéralisme n'ont pas réussi à retenir les francophones dans le giron de l'idéologie canadienne, les fédéralistes ont remplacé la carotte par le bâton. Ils ont développé un discours agressif visant à montrer aux Québécois qu'ils prendraient tous les moyens pour les empêcher de briser le « plus meilleur pays du monde », pour reprendre une expression chère à Jean Chrétien. C'est ce qu'on a appelé le plan B.

Depuis qu'il a été recruté par Jean Chrétien, le ministre Stéphane Dion a inondé les médias de ses raisonnements spéculatifs à sens unique. Il s'est ingénié à démontrer que les Québécois n'ont pas raison de vouloir la souveraineté et qu'ils devront payer très cher leur désir de liberté. Il a entrepris une véritable croisade pour convaincre les Canadiens de prendre tous les moyens pour empêcher le Québec d'accéder à la souveraineté. Comme la bataille se livre sur le terrain électoral où l'opinion est par définition changeante, il espère influencer les Québécois dans leurs choix, faire baisser le soutien à la souveraineté et empêcher la tenue d'un troisième référendum.

Ses postulats sont transparents : il n'y a pas de peuple québécois, les Canadiens en raison de leur supériorité morale n'ont pas à reconnaître le résultat d'un référendum et à négocier avec les souverainistes. Dans l'éventualité d'un troisième référendum, le Canada, sous prétexte de démocratie et de clarté, exige que le OUI obtienne une majorité qualifiée et revendique le droit de participer à la formulation de la question, niant de ce fait la souveraineté de l'Assemblée nationale. Ce qui intéresse le gouvernement canadien, ce n'est pas tant le respect de la démocratie que le maintien de l'unité nationale. Tant que les Québécois se montraient réfractaires à la souveraineté, Ottawa acceptait les règles référendaires québécoises, mais le *fair play* s'efface lorsque le risque de perdre devient trop grand. Gagner à tout prix est le mot d'ordre à Ottawa. Pour ce faire, il suffit de poser des exigences qui rendront la sécession impossible, comme le principe de la majorité qualifiée qui obligerait les Québécois francophones à pratiquer un unanimisme qu'on s'empresserait d'associer au tribalisme.

Curieusement, ce qu'on demande aux Québécois, on n'a pas le courage de l'exiger du Canada puisque la loi référendaire canadienne n'impose pas la majorité qualifiée. La logique des thuriféraires de l'unité canadienne est celle des deux poids, deux mesures. Ces « démocrates » ne s'appliquent pas la médecine qu'ils veulent imposer aux autres, de sorte que la majorité absolue (50 % + 1) serait suffisante pour empêcher le Québec d'accéder à la souveraineté et maintenir l'unité canadienne, mais elle serait insuffisante pour accéder à la souveraineté. C'est la prime au statu quo. Il faudrait plus de votes pour sortir du Canada que pour y entrer puisqu'on n'a pas exigé de majorité qualifiée lors de l'entrée de Terre-Neuve dans la Confédération. La démocratie à la canadienne signifie qu'un vote souverainiste n'a pas le même poids qu'un vote fédéraliste. On est prêt à sacrifier sur l'autel de l'unité nationale le principe sacré de la démocratie : un électeur, un vote.

Si, malgré ces efforts de persuasion par l'effroi, les Québécois persistent dans leur projet « irrationnel » d'indépendance politique, il faudra les faire « souffrir » et le Canada devra prendre tous les moyens pour écraser cette volonté populaire de changer le rapport de subordination. Dans un premier temps, il s'agissait de faire croire que des changements étaient possibles sans toucher au cadre constitutionnel, en adoptant de simples réformes administratives. Mais comme les violons de la décentralisation jouaient faux et que le baromètre de l'opinion bougeait peu dans la direction escomptée, le ministre Dion a enfourché la thèse partitionniste : si le Canada est divisible, le Québec le sera aussi, et le Canada soutiendra tous les fédéralistes qui voudront défier la volonté majoritaire du peuple québécois pour rester Canadiens.

Le nouvel argumentaire des fédéralistes fonctionne en prenant pour acquis que les Québécois n'aiment pas les conflits, que, devant l'amoncellement de difficultés que représenterait l'accession à la souveraineté, ils préféreront, à tout prendre, rester Canadiens. Plus le débat sur l'avenir politique du Québec durera, plus la fatigue se fera sentir, et plus les Québécois se résigneront. Il faut donc empêcher à tout prix qu'il y ait un troisième référendum dans un avenir rapproché.

Le rapport de force idéologique

Le référendum de 1995 a profondément modifié les rapports de force et, même s'il s'est conclu par un match nul, il n'a pas laissé les protagonistes avec les mêmes atouts stratégiques. Les Canadiens ont profité du débat constitutionnel pour renforcer leur identité et rejeter la conception asymétrique du fédéralisme. Ils ont puisé dans les hésitations et les tergiversations de la société québécoise un sentiment de force qui les pousse à l'intransigeance. Les Canadiens rejettent maintenant toute solution de compromis et ne craignent plus de s'aliéner les Québécois parce qu'ils estiment que ceux-ci n'ont pas le courage d'aller jusqu'à la rupture. À leurs yeux, il n'y a qu'une nation au Canada et les Québécois ne sont que des individus avec une culture particulière, comme il y en a de nombreuses autres. Les francophones forment une minorité ethnique et le Québec, une province. Il n'y a plus de place pour la vision binationale du Canada, si chère aux nationalistes canadiens-français.

En refusant de faire toute concession constitutionnelle au Québec, en choisissant la confrontation, en évoquant les menaces de démembrement du territoire québécois, les forces fédéralistes donnent une forte cohérence à l'identité canadienne et espèrent que cette fermeté fera comprendre aux Québécois qu'ils ne pourront plus exercer démocratiquement leur droit à l'autodétermination, que la souveraineté mène à une impasse et qu'ils doivent accepter les offres de gains symboliques, comme la reconnaissance du caractère unique du Québec.

Si les Canadiens se montrent fermes et déterminés dans leur volonté de mettre le Québec à sa place et s'ils peuvent déployer la stratégie de la rétorsion, les Québécois, eux, sont non seulement divisés sur le choix du pays mais une partie de ceux qui optent pour la souveraineté ne sont pas prêts à la rupture avec le Canada et adhèrent tièdement à la souveraineté qu'ils considèrent comme un moyen stratégique pour faire pression sur le reste du Canada afin d'obtenir une reconnaissance de la société distincte ou une entente de partenariat. Alors que les Canadiens considèrent les souverainistes comme des traîtres, comme des ennemis à écraser à tout prix, les souverainistes, eux, considèrent les Canadiens comme d'éventuels partenaires avec lesquels ils veulent négocier une entente.

Ces différences d'attitude créent une inégalité de ressources stratégiques. Elles mettent les souverainistes en situation de faiblesse, car si les fédéralistes ont les moyens de faire bouger l'opinion publique québécoise par le jeu de la carotte et du bâton, les souverainistes, eux, ne peuvent influencer l'opinion publique canadienne. Ils ne disposent d'aucun moyen de pression pour obtenir du Canada un compromis parce qu'ils ne peuvent opposer de menaces conséquentes à celles du gouvernement canadien. Les disparités de ressources entre l'État fédéral et l'État provincial pour mener la guerre des esprits favorisent aussi la propagation de l'idéologie canadienne. Alors que le gouvernement du Québec se refuse à faire directement la promotion de la souveraineté, sous prétexte qu'il est un gouvernement provincial, le gouvernement canadien ne se gêne pas pour utiliser les fonds publics à des fins de promotion de l'unité et de l'identité canadiennes.

Le Canada peut pratiquer la politique de l'intransigeance, alors que le gouvernement du Québec ne peut lui opposer que la négociation et le compromis. Dans ce jeu, celui qui est prêt à prendre le risque de l'affrontement domine nettement celui qui prône la modération parce qu'il a l'avantage du mouvement et qu'il peut souffler le froid et le chaud, c'est-à-dire se montrer menaçant pour mieux faire accepter des concessions symboliques et arriver à ses fins : garder le Québec dans la fédération canadienne. C'est une stratégie gagnante, si l'adversaire n'est pas prêt à prendre le risque du conflit et préfère la négociation.

La morale de cette histoire, c'est que la menace de sécession reste toujours la stratégie la plus avantageuse, à la condition d'être crédible, c'est-à-dire que le Québec soit résolu et prêt à aller jusqu'au bout. Tant et aussi longtemps que les Québécois seront ambigus sur leur sentiment d'appartenance, les Canadiens ne les prendront pas au sérieux. Pour être reconnu comme peuple, encore faut-il se comporter comme tel et comprendre qu'il s'agit d'une lutte à finir. Il ne servira à rien au PQ de gagner toutes les batailles électorales, si les Québécois ne sont pas plus convaincus de la nécessité de faire l'indépendance.

Si le Québec choisit la conciliation et que le Canada choisit l'intransigeance, comme l'indiquent les comportements récents des gouvernements québécois et canadien, il y a fort à parier que le statut politique du Québec ne changera pas et que le Québec restera une province comme les autres, ce qui constituera une victoire pour les Canadiens dont c'est l'objectif. Le problème du Québec, c'est que le soutien à la souveraineté est fluctuant et fragile, alors qu'au Canada la volonté de maintenir le statu quo est forte. Cette situation rend impossible un scénario où les deux choisiraient la conciliation parce que le Canada n'a aucun intérêt à faire des concessions, tant que les Québécois sont divisés sur leur statut politique. Toutefois, certains, en dépit de la logique de l'affrontement, espèrent encore un changement d'attitude du Canada qui irait dans le sens des revendications traditionnelles du Québec. Une chose est certaine : si le Canada cédait quelque peu sur ce point, il exigerait que le Québec abandonne définitivement ses velléités souverainistes. Le Canada aurait ainsi fait un gain stratégique majeur, puisqu'il deviendrait maître du jeu.

NOTES

1. Propos rapportés dans *Le Devoir*, 14 décembre 1999.
2. Voir Dominique CLIFT, *Le déclin du nationalisme*, Montréal, Libre Expression, 1981.
3. Voir E. CLOUTIER, D. LATOUCHE et J.H. GUAY, *Le virage : l'évolution de l'opinion publique au Québec depuis 1960*, Montréal, Québec-Amérique, 1992.

CONCLUSION

La souveraineté pour dépasser l'ethnicité

Nous sommes des Québécois. Cela veut dire que le Québec est le seul coin du monde où nous puissions être pleinement nous-mêmes.

RENÉ LÉVESQUE[1]

Pourquoi refuser d'être Canadien ? Pourquoi vouloir un Québec souverain ? Quels sont les arguments qui sont employés pour justifier le changement de statut politique du Québec ?

Pour assurer l'épanouissement de l'identité québécoise

L'argument clé consiste à soutenir qu'historiquement et sociologiquement la population québécoise forme un peuple qui, dans le cadre du système politique canadien, ne peut exister qu'à titre de minorité ethnique, ce qui implique que le peuple québécois ne peut se diriger lui-même et que son destin dépend de la majorité canadienne.

Accepter un statut de minorité ethnique signifierait que la communauté francophone, qui est massivement concentrée sur le territoire du Québec, renonce à l'égalité politique avec la majorité anglophone et remette son sort entre les mains de cette dernière. Cette subordination impliquerait aussi qu'elle renonce à son identité spécifique et qu'elle se fonde dans l'identité nationale canadienne.

Les souverainistes pensent que, dans le monde moderne, les droits individuels et les droits des minorités ne peuvent garantir l'épanouissement d'une langue et d'une culture spécifiques. La préservation de l'identité passe par l'appartenance à un territoire et à un État qui incarnent concrètement l'existence collective. L'individu ne peut porter seul le fardeau du destin national, surtout dans le contexte canadien où la politique officielle du bilinguisme et du multiculturalisme risque à brève échéance de conduire à l'assimilation des Québécois francophones, ce processus s'étant avéré irréversible dans les autres provinces. L'évolution du statut d'une langue est une question de rapport des forces démographiques et politiques, et ne peut être laissée aux hasards des ambitions individuelles. Comme le Québec est le seul territoire où les francophones sont en majorité et peuvent contrôler un gouvernement et puisque la plupart des Québécois s'identifient d'abord et avant tout comme Québécois[2], il revient à l'État du Québec d'assurer la promotion de la langue française et de l'identité québécoise. Or, cette exigence est inconciliable avec le nationalisme canadien qui non seulement refuse de reconnaître l'existence du peuple québécois, mais qui combat activement l'affirmation identitaire québécoise.

Pour sortir d'un système de domination

Les souverainistes considèrent que le Canada est fondé sur une oppression nationale et que la Constitution canadienne n'a pas de légitimité historique puisqu'elle a été adoptée par un parlement étranger pour satisfaire les intérêts de l'Empire britannique et qu'elle n'a jamais été ratifiée par le peuple. Cet argument de l'absence de légitimité a été repris plus récemment, à la suite du rapatriement unilatéral de la constitution en 1981-1982 qui a eu pour effet d'imposer une formule d'amendement et une Charte des droits, sans que la population ne soit consultée et en dépit d'un désaccord formel et bipartisan de l'Assemblée nationale du Québec.

Le poids politique du Québec à l'intérieur du système canadien va de pair avec l'évolution démographique du Canada, car la proportion de la population québécoise diminue constamment dans l'ensemble canadien. On peut désormais gouverner le Canada sans tenir compte du Québec. Pour exercer une influence dans le système politique canadien, les Québécois doivent concentrer leurs votes sur un seul parti pour faire élire un maximum de députés qui pourront ainsi avoir un certain poids dans la balance du pouvoir. Cette logique unanimiste est débilitante car elle limite la liberté de choix politique.

Pour rendre plus rationnelle la gestion des affaires publiques

Le discours souverainiste entretient et renouvelle périodiquement son arsenal de critiques du fonctionnement du fédéralisme canadien. On dénonce les tendances à la centralisation, à l'uniformisation, les effets structurels délétères sur le développement économique du Québec, les conflits de juridiction qui nuisent à l'efficacité de la gestion du bien public, les abus du pouvoir de dépenser, les réductions des paiements de transfert, les iniquités dans les subventions, etc. Il s'agit de démontrer que, non seulement le Québec n'a pas les pouvoirs suffisants pour assumer les responsabilités normales d'un État national, mais aussi qu'il y a de nombreux chevauchements de compétences entre les deux paliers de gouvernement et que le gouvernement fédéral a tendance à s'ingérer de plus en plus dans les champs de juridiction provinciale afin d'imposer des politiques et des normes « nationales » qui restreignent d'autant l'autonomie des provinces. Soulignons que cette critique n'est pas propre aux souverainistes, qu'elle est partagée par des fédéralistes québécois qui revendiquent une réforme de la fédération canadienne. On retrouve ici ce qu'on appelle les demandes traditionnelles du Québec, qui ont été formulées aussi bien par l'Union nationale que par le Parti libéral du Québec. Le rapport de la Commission Bélanger-Campeau illustrait parfaitement ces critiques. On y soutenait, entre autres, que les conflits de juridiction nuisaient à l'assainissement des finances publiques et que la concurrence entre les deux niveaux de gouvernement produisait du gaspillage de ressources et des incohérences dans les politiques publiques. La plus récente manifestation de ces dédoublements a été l'épisode des bourses du millénaire, qui dédoublaient le système québécois de prêts et bourses. Le fédéralisme, aux dires des souverainistes, engendre donc un déficit de rationalité que la souveraineté pourrait corriger.

Un État souverain donnerait aussi aux Québécois le contrôle des leviers du développement économique et social. Le Québec ne serait plus à la merci du gouvernement fédéral qui change unilatéralement les règles du jeu et réduit d'autant l'efficacité des politiques québécoises.

Pour améliorer le fonctionnement de la démocratie

L'État canadien ne satisfait pas aux exigences supérieures d'une société démocratique. C'est d'abord une monarchie et, même si celle-ci n'est que symbolique, il en découle implicitement une conception dirigiste du gouvernement. Le premier ministre, dans le système parlementaire d'inspiration britannique, a les pouvoirs d'un monarque. Il nomme le gouverneur-général du Canada, les lieutenants-gouverneurs, les membres de la Cour suprême et des cours fédérales, les sénateurs, les présidents des sociétés de la Couronne, etc. Le fonctionnement du fédéralisme éloigne les citoyens de la prise de décision et entretient de la confusion quant aux responsabilités des différents paliers de gouvernement.

Le fédéralisme produit un effet de distanciation entre le citoyen et ceux qui prennent effectivement les décisions. En superposant les centres de décisions, il brouille la responsabilité des dirigeants et accroît le pouvoir de la bureaucratie. Le citoyen n'est pas toujours en mesure de savoir qui décide quoi, les politiciens peuvent se renvoyer les responsabilités et les torts d'un niveau de gouvernement à l'autre.

La Constitution canadienne n'est pas démocratique, car elle procède d'une loi archaïque votée par un parlement étranger. Elle entretient la confusion sur le partage des pouvoirs et ne permet pas aux citoyens d'avoir une idée claire des responsabilités des divers ordres de gouvernement. Une constitution écrite sert précisément à rendre transparentes les règles du jeu politique. Or, celle du Canada n'a pour ainsi dire aucune utilité pour le citoyen qui veut savoir qui fait quoi.

Le déficit démocratique se manifeste aussi dans les déséquilibres entre les ressources financières qu'accapare le gouvernement fédéral et les responsabilités qu'ont à assumer les provinces qui, elles, n'ont pas les revenus nécessaires pour remplir leurs obligations. Les services les plus coûteux sont de juridiction provinciale, alors que les provinces ont des capacités fiscales et financières moins importantes.

Le fédéralisme bloque aussi toute réforme du mode de scrutin, car une province qui dérogerait à la règle du scrutin uninominal à un tour s'affaiblirait politiquement dans ses relations avec le reste du Canada. Le mode de scrutin en vigueur au Canada, qu'on appelle le scrutin à majorité simple, réduit à deux ou trois partis l'éventail de choix des citoyens. C'est le moins démocratique des modes de scrutin, car il crée une distorsion entre le nombre de votes obtenus par un parti et le nombre de candidats élus. Si on désirait améliorer la représentation des citoyens en instaurant un scrutin proportionnel au Québec, tout en restant à l'intérieur du système canadien, le gouvernement du Québec serait plus faible que ses homologues provinciaux, car ce gouvernement serait formé par une coalition de partis et il pourrait difficilement parler d'une seule voix. Il serait aussi moins stable, car la défection d'un parti de la coalition gouvernementale pourrait lui faire perdre la majorité. Dans de telles conditions, il serait beaucoup moins efficace pour négocier avec le gouvernement canadien. Le fédéralisme canadien bloque la démocratisation de la vie politique québécoise.

Pour participer à la mondialisation

Contrairement à ce que prétendent les fédéralistes, la constitution des grands ensembles économiques est compatible avec la souveraineté des petites nations. Plus les tendances à la mondialisation économique s'affirment, plus les espaces politiques tendent à recouper les identités nationales. Ce phénomène est attestée par l'émergence d'un grand nombre de nouvelles nations. Plus les centres de décision s'internationalisent, plus la présence des nations devient nécessaire pour faire valoir leurs intérêts et participer aux décisions.

Contrairement à ce que l'on veut nous faire croire, la mondialisation n'est pas synonyme de déclin de la souveraineté étatique. Il y a plutôt déplacement des champs d'intervention des États, qui délaissent leurs pouvoirs de réglementation économique et libéralisent les échanges, mais qui en même temps accroissent leurs interventions dans d'autres secteurs comme l'immigration, les politiques de population et de construction identitaire. La volonté du gouvernement canadien de s'ingérer dans la gestion des programmes de santé en est une bonne illustration. Si la souveraineté était moins importante à l'heure de la mondialisation, le gouvernement canadien accepterait de se départir de ses pouvoirs et favoriserait une plus grande autonomie des provinces. Par sa volonté d'imposer une politique « nationale » dans les champs de compétence des provinces, le gouvernement canadien fait la preuve que la souveraineté et le pouvoir politique qui en découle sont toujours essentielles au développement d'un peuple.

Pour débloquer l'impasse constitutionnelle

Depuis le rapatriement unilatéral de la Constitution, le fédéralisme ne peut plus être réformé. Après quarante ans de négociations constitutionnelles, tous les partis qui se sont succédé à Québec ont échoué dans leurs tentatives d'obtenir une révision du partage des pouvoirs. Au lieu d'accroître ses champs de juridiction, le Québec a perdu la maîtrise de sa politique linguistique, de sa politique sociale et de sa politique culturelle. L'introduction de la Charte des droits et les différents jugements de la Cour suprême ont réduit l'autonomie provinciale comme une peau de chagrin.

Les autorités politiques canadiennes et les Canadiens veulent un système où le gouvernement fédéral se comporte comme un gouvernement national et décide pour l'ensemble du Canada. Il n'y a donc plus d'espoir et d'espace pour la thèse du statut particulier. Les Canadiens jugent inacceptable un fédéralisme à géométrie variable. Le fédéralisme ne peut plus être réformé dans le respect des besoins du Québec.

Pour ne plus être minoritaire

Tout en étant conjoncturellement pertinents, les arguments évoqués précédemment ne sont pas fondamentaux. Le vice fondamental du fédéralisme canadien est qu'il ne permet pas de réconcilier le besoin d'identité collective et le désir de liberté individuelle. Il enferme l'individu dans la logique de l'ethnicité et fait du Canadien français un être enchaîné au carcan de la survivance.

Être Canadien-français signifie d'abord accepter de fonctionner selon la logique du minoritaire qui peut se résumer ainsi : ne jamais maîtriser son destin. L'essentiel de la pensée canadienne-française a été et demeure d'assumer et d'intérioriser la nécessité de la dépendance politique. La pensée canadienne-française postule que la survie et le progrès de la nation dépendent d'une puissance extérieure : soit la Grande-Bretagne au XIXe siècle, soit le pouvoir fédéral au XXe siècle. La politique du minoritaire consiste à conclure un pacte où il obtient la protection en échange de sa soumission à cette puissance extérieure qui, au gré des circonstances, la lui accordera ou la lui retirera en fonction de ses intérêts, à elle.

Il existe toutefois des conditions pour que la logique du minoritaire porte fruit. Les axes de la culture politique du minoritaire doivent être la modération dans les revendications et la résignation dans l'adversité. Il faut accepter son sort, s'accommoder des décisions de la majorité, faire contre mauvaise fortune bon cœur, borner le champ des possibles aux volontés de l'autre et toujours trouver des interprétations favorables aux situations ou aux projets désavantageux. Fuir le conflit ou l'affrontement est le mot d'ordre. Il faut plutôt chercher à retarder les échéances et à se gagner les bonnes grâces de la puissance tutélaire.

Mais que vaut ce pacte pour le dominant qui sait que le minoritaire adopte comme valeur fondamentale de son identité le refus d'aller jusqu'à la rupture ? Et que peut faire le minoritaire lorsque le dominant ne respecte pas ce contrat imaginaire ? *Rien*, sinon compenser son impuissance par l'espoir de jours meilleurs. Il se dira alors qu'il faut accorder une autre chance de s'amender au système.

Un tel système intellectuel offre peu de satisfactions concrètes car son efficacité est conditionnée par une volonté extérieure qui a ses propres intérêts et sa propre dynamique. Ce système est aussi confronté aux effets inexorables de la loi du nombre qui affaiblit constamment son pouvoir de négociation. Il en résulte une déception chronique et une fatigue politique, la minorité s'anémiant dans des luttes toujours à recommencer. En ne se percevant qu'à travers l'œil de l'autre, le minoritaire en vient à vouloir lui ressembler pour en finir avec une différence qui l'enferme dans l'incertitude existentielle. Cette logique en conduira plusieurs à confiner leur identité dans la sphère de la vie privée et familiale, et à accepter en fin de compte de se laisser intégrer et assimiler afin d'échapper au destin de Sisyphe.

À quoi bon survivre pour laisser un héritage culturel de plus en plus étriqué et délabré ? Le fédéralisme canadien conduit les Canadiens français à l'alternative suivante : soit choisir de changer d'identité en s'assimilant à la majorité, soit maintenir une double identité et jouer un double jeu. Ainsi écartelé entre deux appartenances, le Canadien français érige l'ambiguïté en système de valeurs et pousse la duplicité au sublime en en faisant un trait fondamental de son identité. Mais la double identité est débilitante et elle nuit à l'épanouissement personnel puisque le minoritaire doit toujours conditionner ses choix à la situation de son groupe.

Être Canadien-français signifie appartenir à une minorité ethnique et notre histoire collective nous rappelle que cette appartenance est sclérosante pour les individus parce qu'elle est vouée par définition à la conservation du groupe. La lutte pour la survivance est le seul avenir possible pour un peuple minoritaire et cette situation ne permet pas de participer pleinement à l'expérience humaine parce qu'elle enferme l'individu dans une logique de récrimination et oblige au repli sur soi.

Le destin du minoritaire empêche l'individu d'être libre. Il asservit la conscience à la précarité du groupe, ce qui réduit les marges de liberté car la condition essentielle de la survie est la cohésion qu'impose la logique du marchandage dans un rapport de subordination. Cette situation n'a rien de stimulant, rien qui invite au dépassement de soi ou qui pousse à l'audace créatrice. À ce destin replié, courbé sous les vents de l'histoire et écrasé par l'infériorité numérique, le souverainiste préfère les risques de vie qu'offre l'indépendance. C'est le sens de l'appartenance, la définition de l'identité, qui est l'enjeu majeur de la souveraineté. Les Québécois ont à choisir entre le statut de minorité et le statut de peuple à part entière.

Dans les sociétés modernes, c'est le politique qui est le lieu de l'identité collective, qui l'incarne, lui donne sa cohérence et la perpétue. Or, l'État canadien est la négation de cette nécessité. Il sépare la citoyenneté de l'identité, car il force le Québécois à accepter une nationalité qui n'est pas la sienne.

Le projet de souveraineté québécoise réglerait le problème de l'identité en créant un pays où l'individu n'aurait plus à porter seul le fardeau du destin collectif. La souveraineté politique permet à la subjectivité de s'accomplir en transférant à l'État la responsabilité de la cohésion et de la persistance du vouloir-vivre collectif. La souveraineté politique, c'est l'accession de l'identité québécoise à l'universalité. L'indépendance ne rendra pas les Québécois meilleurs ou pires que les autres, elle leur permettra simplement d'être comme les autres peuples et d'inscrire leur expérience spécifique dans l'universalité.

NOTES

1. René LÉVESQUE, *Option Québec*, Montréal, Typo, 1997, p. 161.
2. Maurice PINARD, « The Quebec Independence Movement : A Dramatic Pre-emergence », *Journal of International Affairs*, hiver 1992.

BIBLIOGRAPHIE

ANDERSON, Benedict, *L'imaginaire national*, Paris, La Découverte, 1996.

ALTER, Peter, *Nationalism*, Londres, E. Arnold, 1989.

BALTHAZAR, Louis, *Bilan du nationalisme*, Montréal, L'Hexagone, 1986.

BARITEAU, Claude, « Pour une conception civique du Québec », *L'Action nationale*, sept. 1996, p. 107-168.

BAUER, Otto, *La question des nationalités et la social-démocratie*, Montréal, Guérin, 1987.

BERRAN, Harry, « A Liberal Theory of Secession », *Political Studies*, vol. 32, 1984.

—, *The Consent Theory of Political Obligation*, Londres, Croom Helm, 1987.

BIRCH, et autres, *Nationalism and National Integration*, Londres, Unwin Hyman, 1989.

BOURQUE, Gilles, *L'État capitaliste et la question nationale*, Montréal, Presses de l'Université de Montréal, 1977.

—, *Classes sociales et question nationale au Québec*, 1760-1840, Montréal, Parti pris, 1970.

BOURQUE, Gilles, Jules DUCHASTEL et Victor HARMONY, *L'identité fragmentée : nation et citoyenneté dans les débats constitutionnels canadiens, 1941-1992*, Montréal, Fides, 1996.

BROSSARD, Jacques, *L'accession à la souveraineté et le cas du Québec*, Montréal, Presses de l'Université de Montréal, 1976.

BOUCHARD, Gérard, *La nation québécoise au futur et au passé*, Montréal, VLB, 1999.

BRUNET, Michel, *La présence anglaise et les Canadiens*, Montréal, Beauchemin, 1958.

BUCHANAN, Allen, « Les conditions de la sécession », in Michel SEYMOUR, *Une nation peut-elle se donner une constitution de son choix ?*, Montréal, Bellarmin, 1995.

—, « Theories of Secession », *Philosophy and Public Affairs*, vol. 26, 1997, p. 31-61.

—, *Secession*, Boulder, Westview Press, 1991.

CAMERON, David, *Nationalism, Self-Determination and the Quebec Question*, Toronto, Macmillan, 1974.

CANOVAN, Margaret, *Nationhood and Political Theory*, Brookfield, E. Elgar, 1996.
CHRISTAKIS, Théodore, *Le droit à l'autodétermination en dehors des situations de décolonisation*, Paris, La Documentation française, 1999.
CLIFT, Dominique, *Le déclin du nationalisme*, Montréal, Libre Expression, 1981.
CLOUTIER, Édouard, Daniel LATOUCHE et Jean H. GUAY, *Le virage : évolution de l'opinion publique au Québec depuis 1960*, Montréal, Québec-Amérique, 1992.
COLEMAN, William, *The Independance Movement in Quebec, 1945-1980*, Toronto, University of Toronto Press, 1984.
COUTURE, Jocelyne, *Rethinking Nationalism*, Calgary, University of Calgary Press, 1998.
CRAVEN, Gregory, *Secession : the Ultimate State's Right*, Carlton Victoria, Melbourne University Press, 1986.
D'ALLEMAGNE, André, *Le colonialisme au Québec*, Montréal, Éditions R-B, 1966.
DELANNOI, D. et P.-A. TAGUIEFF, *Théories du nationalisme*, Paris, Kimé, 1991.
DEUTSCH, Karl, *Nationalism and Social Communication*, Cambridge, Cambridge University Press, 1953.
DEUTSCH, Karl, *Nationalism and Its Alternatives*, New York, Knopf, 1969.
DION, Léon, *Nationalisme et politique au Québec*, Montréal, HMH, 1975.
DUFOUR, Christian, *La rupture tranquille*, Montréal, Boréal, 1992.
DUMONT, Fernand, *Genèse de la société québécoise*, Montréal, Boréal, 1993.
—, *Raisons communes*, Montréal, Boréal, 1997.
—, *Idéologies au Canada français* : 1900-1929, Québec, Presses de l'Université Laval, 1974.
DUMONT, Louis, *Essais sur l'individualisme*, Paris, Seuil, 1983.
FERRETTI, Andrée et Gaston MIRON, *Les grands textes indépendantistes*, Montréal, L'Hexagone, 1992.
FICHTE, J. G., *Discours à la nation allemande*, Paris, Aubier-Montaigne, 1975.
FINKIELKRAUT, Alain, *La défaite de la pensée*, Paris, Gallimard, 1987.
GABOURY, Jean-Pierre, *Le nationalisme de Lionel Groulx*, Ottawa, Presses de l'Université d'Ottawa, 1970.
GAUTHIER, David, « Breaking up : an Essay on Secession », *Canadian Journal of Philosophy*, vol. 24, 1994, p. 357-372.
GELLNER, Ernest, *Nations et nationalisme*, Paris, Payot, 1989.
GILBERT, Paul, *The Philosophy of Nationalism*, Boulder, Westview Press, 1998.
GOUGEON, Gilles, *Histoire du nationalisme québécois*, Montréal, VLB, 1993.
GREENFELD, L., *Nationalism : Five Roads to Modernity*, Cambridge, Cambridge University Press, 1992.
GUILHAUDIS, Jean-François, *Le droit des peuples à disposer d'eux-mêmes*, Grenoble, Presses universitaires de Grenoble, 1976.
GUINDON, Hubert, *Tradition, modernité et aspiration nationale de la société québécoise*, Montréal, Saint-Martin, 1990.
HAUPT, Georges *et al.*, *Les marxistes et la question nationale*, Montréal, L'Étincelle, 1974.
HECHTER, Michael, *Internal Colonialism*, Londres, Routledge and Kegan Paul, 1975.
—, « The Dynamics of Secession », *Acta Sociologica*, vol. 35, no 4, 1992. p. 267-283.
HERDER, G., *Traité de l'origine du langage*, Paris, PUF, 1972.
HOBSBAWN, Eric, *Nations et nationalisme depuis 1780*, Paris, Gallimard, 1992.

JACQUES, Daniel, *Nationalisme et modernité*, Montréal, Boréal, 1998.
KEATING, Michael, *Les défis du nationalisme moderne*, Montréal, Presses de l'Université de Montréal, 1997.
KEDOURIE, Elie, *Nationalism*, Londres, Hutchison University Press, 1960.
KOHN, Hans, *The Idea of Nationalism*, New York, Macmillan, 1961.
KRULIC, Brigitte, *La nation : une idée moderne*, Paris, Ellipses, 1999.
LAMONDE, Yvan et Gérard BOUCHARD, *La nation dans tous ses états : le Québec en comparaisons*, Montréal, L'Harmattan, 1997.
LAFOREST, Guy, « Herder, Kedourie et les errements de l'antinationalisme », *De la prudence*, Montréal, Boréal, 1993, p 59-85.
LÉVESQUE, René, *Option Québec*, Montréal, Éditions de l'Homme, 1968.
LOWY, Michael, *Patrie ou planète : nationalisme et internationalisme*, Lausanne, Éditions Page deux, 1997.
MANN TROFIMENKOFF, Susan, *Visions nationales*, Saint-Laurent, Éditions du Trécarré, 1986.
MARTELLI, Roger, *Comprendre la nation*, Paris, Éditions sociales, 1979.
MCKIM, Robert et Jeff MCMAHAN, *The Morality of Nationalism*, New York, Oxford University Press, 1997.
MCROBERT, K., *Développement et modernisation au Québec*, Montréal, Boréal, 1983.
MILLER, David, *On Nationality*, Oxford, Clarendon Press, 1995.
—, « In Defence of Nationality », *Journal of Applied Philosophy*, vol. 10, n° 1, 1993.
MONIÈRE, Denis, *Le développement des idéologies au Québec*, Montréal, Québec-Amérique, 1978.
—, *L'indépendance*, Montréal, Québec-Amérique, 1992.
NIELSON, Kai, « Secession : the Case of Quebec », *Journal of Applied Philosophy*, vol. 10, 1993, p. 29-43.
OLSON, Mancur, *The Rise and Decline of Nations*, New Haven, 1982.
OUELLET, Fernand, *Le Bas-Canada : 1791-1840*, Ottawa, Éditions de l'Université d'Ottawa, 1976.
—, *Papineau, textes choisis*, Québec, Presses de l'Université Laval, 1959.
PREMDAS, Ralph, *Secessionnist Movements in Comparative Perspectives*, New York, St Martin's Press, 1990.
RENAN, Ernest, *Qu'est-ce qu'une nation ? et autres essais politiques*, Paris, Presses-Pocket, 1992.
RIOUX, Marcel, *La question du Québec*, Montréal, Parti pris, 1976.
ROKKAN, Stein et D.W. URWIN, *The Politics of Territorial Identity*, Londres, Sage, 1982.
RUPNIK, Jacques, *Le déchirement des nations*, Paris, Seuil, 1995.
SCHNAPPER, Dominique, « Ethnies et nations » *Cahiers de recherche sociologique*, n° 20, 1993, p. 157-181.
—, *La communauté des citoyens : sur l'idée moderne de nation*, Paris, Gallimard, 1994.
SCHWIMMER, Eric, *Le syndrome des Plaines d'Abraham*, Montréal, Boréal, 1995.
SÉGUIN, Maurice, *L'idée d'indépendance au Québec*, Trois-Rivières, Boréal Express, 1968.
—, *Histoire des deux nationalismes au Canada*, Montréal, Guérin, 1996.
SEYMOUR, Michel, *La nation en question*, Montréal, L'Hexagone, 1999.
SEYMOUR, Michel (dir.), *Nationalité, citoyenneté et solidarité*, Montréal, Liber, 1999.

SEYMOUR, Michel, *Une nation peut-elle se donner la constitution de son choix?*, Montréal, Bellarmin, 1995.

SHAFER, Boyd, *Le nationalisme*, Paris, Payot, 1964.

SMITH, Anthony, *Theories of Nationalism*, Londres, Duckworth, 1971.

—, *National Identity*, Harmondsworth, Penguin, 1991.

TAMIR, Y., *Liberal Nationalism*, Princeton, Princeton University Press, 1993.

TILLY, Charles, *The Formation of National States in Western Europe*, Princeton, 1975.

TOUSIGNANT, Pierre, *Documents relatifs au projet d'Union du Haut et du Bas-Canada, 1822-1828*, Montréal, Université de Montréal, département d'histoire, s.d.

TRUDEAU, Pierre Elliott, *Le fédéralisme et la société canadienne-française*, Montréal, HMH, 1967.

TURP, Daniel, « Le droit de sécession en droit international public et son application au cas du Québec », thèse de maîtrise, Université de Montréal, 1979.

WADE, Mason, *Les Canadiens français de 1760 à nos jours*, Ottawa, Cercle du livre de France, 1963.

WELLMAN, C.H. « A Defense of Secession and Political Self-Determination », *Philosophy and Public Affairs*, vol. 24, 1995, p. 142-175.

YOUNG, Robert, *La sécession du Québec et l'avenir du Canada*, Québec, Les Presses de l'Université Laval, 1995.

Table des matières